HANS-GEORG STÜMKE

Homosexuelle in Deutschland

Eine politische Geschichte

VERLAG C.H.BECK MÜNCHEN

Mit 17 Abbildungen und 7 Tabellen
(Abb. S. 33, 37, 59 aus dem Archiv des Autors)

CIP-Titelaufnahme der Deutschen Bibliothek

Stümke, Hans-Georg:
Homosexuelle in Deutschland : e. polit. Geschichte /
Hans-Georg Stümke. – Orig.-Ausg. – München : Beck, 1989
(Beck'sche Reihe ; 375)
ISBN 3 406 33130 0
NE: GT

Originalausgabe
ISBN 3 406 33130 0

Lektorat: Klaus Humann, Hamburg
Einbandentwurf von Uwe Göbel, München

Gesamtherstellung: C. H. Beck'sche Buchdruckerei, Nördlingen
Printed in Germany

Inhalt

1. Vom Scheiterhaufen in die Irrenanstalt

Dämmerung des Mittelalters oder Wie aus Ketzern Kranke wurden

Das Mittelalter endete in Bayern im Jahre 1813. Das Finale der Epoche wurde durch Gesetz verkündet: Sodomie, „die widernatürliche Vermengung des Fleisches" oder „die Sünde, die zum Himmel schreit", wurde nicht mehr mit dem Tod durch Feuer oder Schwert getilgt, sondern „aufgeklärt" behandelt. Meistens bedeutete dies Gefängnis- oder Zuchthausstrafe, im Zweifelsfalle Irrenhaus.

Was unter Sodomie zu verstehen sei, darüber streiten sich die Gelehrten bis heute. Die größte Sachkompetenz allerdings kommt hierbei den Theologen zu. Ihrem Metier entstammt der unheilschwangere Begriff. So soll es nach biblischer Überlieferung in den Orten Sodom und Gomorrha beinahe zu jener „widernatürlichen Vermengung des Fleisches" gekommen sein, die in der jüdischen und später auch der christlichen Religion als Greuel und Sünde angesehen wurde, denn: „Der Herr ließ Schwefel und Feuer regnen vom Himmel herab auf Sodom und Gomorrha" (1. Mose 19,24).

Unzucht umfaßte der mittelalterliche Sodomie-Begriff immer. Das aus dem „Schwabenspiegel" hervorgegangene „Land- und Staatsrechtsbuch von 1328" bestrafte sogar die fleischliche Vermengung zwischen Christen und Juden als Unzucht mit dem Feuertod. Wegen „widernatürlicher Unzucht" wurden Männer enthauptet, die mit ihren Frauen anders als in Missionarsstellung verkehrten, so daß der Sexualforscher Magnus Hirschfeld (1868–1935) zu der Schlußfolgerung kam, „daß man vielfach bei dem Begriff contra naturam weniger an das verkehrte Geschlecht, als an die verkehrte Öffnung dachte".

Immer als Sodomie galt die fleischliche Vermischung „mit dem Vieh". Und da der Teufel nicht nur Hörner und einen Pferdefuß hatte, sondern auch einen tierischen Schweif, entdeckten die „Hexenhammer"-Autoren Heinrich Institoris und Jakob Sprenger 1487, daß Millionen Frauen im geheimen und „in modo sodomitico" mit dem Leibhaftigen verkehrten. Die Sünde konnte nur mit dem Tod auf dem Scheiterhaufen getilgt werden. Bis weit hinein ins 18. Jahrhundert loderten die Scheiterhaufen zur höheren Ehre des Christengottes. Als wider die Natur galt, was dem Bibelwort „Seid fruchtbar und mehret Euch" lustvoll entgegenstand. Christentum und Sexualität haben sich nie geliebt.

Solange die antiken christlichen Gemeinden ein Sektendasein an den Rändern des Mittelmeeres fristeten, mochte das für den Gang der Weltgeschichte unerheblich bleiben. Doch als die spätrömischen Kaiser den Glauben an Himmel und Hölle, unbefleckte Empfängnis und Jungfrauengeburt übernahmen und ihren Untertanen ein Bündnis zwischen Thron und Altar bescherten, wurde die neue Moral schrittweise und allmählich mit Feuer und Schwert durchgesetzt. Auf gleichgeschlechtliche Betätigung, häufig auch unter Frauen, stand seit dem 4. Jahrhundert in fast allen christlichen Staaten die Todesstrafe. In Schottland etwa wurde sie formal erst im Jahre 1889 abgeschafft.

Mit der Ausbreitung des Christentums und seiner Fortpflanzungsmoral erlosch in allen christianisierten Kulturen jede Form sexueller Toleranz. Homo- und Bisexualität, eine im klassischen Altertum überall verbreitete und tolerierte, in ihrer passiven Form zuweilen bespöttelte Erscheinung, unterlag – ebenso wie die Heterosexualität – in den großen antiken Kulturen nur dort gesetzlichen Bestimmungen, wo es galt, Begleit- und Nebenumstände zu regeln, zum Beispiel bei Notzucht und bei Mißbrauch der Dienstgewalt gegenüber Freigelassenen oder Freigeborenen. Die herrschende Moral war die Moral der Herrschenden – sie vereinigte die Lust des Fleisches und die Notwendigkeiten zur Fortpflanzung der Gattung auf eine spezifische, patriarchalische Weise. Die christianisierten, spätrömischen Cäsaren schafften folgenlose Lust durch Gesetze ab und behielten das Patriarchat bei. Sie verboten den fruchtlosen, empfängnisverhütenden Analverkehr unter Heterosexuellen und erklärten Homosexualität zum Verbrechen (Konstantin im Jahre 326) – nicht so sehr aus Sorge um die Sittlichkeit der Untertanen, sondern vielmehr aus wohlverstandenem Staatsinteresse: weil nämlich „das Laster die Volkskraft schwächt" (Valentinian). Die zwecklose, weil generativ folgenlose Homosexualität, die nur der Lust der Beteiligten dient und somit den offenkundigsten Bruch mit einer zum Staatsdogma erhobenen Fortpflanzungsmoral vollzieht, wurde mit der Todesstrafe durch Feuer oder durch Schwert belegt. Homosexuelle, so Kaiser Justinian (527–565), befänden sich in der Gewalt des Teufels, sie lästerten Gott, der deswegen Plagen über Gerechte und Ungerechte gleichermaßen ausgieße und das Reich mit Erdbeben, Hungersnot und Pestilenz strafe.

Die Durchsetzung der Fortpflanzungsmoral brachte die Minderheit der Homosexuellen hervor. Ihre Kriminalisierung durch staatliche Sondergesetze und ihre kollektive Ächtung wurde auch herrschaftstechnisch in der ausgehenden Antike bereits nach dem Muster des Sündenbocks betrieben. Karl der Große (742–814) setzte in seinen christlichen Kapitularien noch eine vierte Plage hinzu: die Überfälle der Sarazenen. Bis zum Jahre 1652 hatte der protestantische Jurist Carpzow noch Überschwemmungen sowie „die Landplage erschrecklich dicker und gefräßiger Feldmäuse" als Folge mannmännlicher Vergnügungen festgestellt.

Sodomie, als Verleugnung des christlichen Glaubens auf diversen Konzilen vom Klerus immer wieder zur Sünde und Ketzerei erhoben, wurde in den Rechtsspiegeln der christlichen Staaten weltlicher Rechtsprechung unterworfen. Mochten die völkischen Rechtsvorschriften („Sachsenspiegel" 1220, „Schwabenspiegel" 1275) in ihren drakonischen Strafen noch voneinander abweichen, im ersten deutschen Reichsstrafgesetzbuch, der „Peinlichen Halsgerichtsordnung" Kaiser Karls V., wurde „die straff der unkeusch, so wider die natur beschicht" für alle Winkel des Reiches im Jahre 1532 einheitlich geregelt. Der Artikel 141 befahl, „man soll sie der gemeynen gewohnheyt nach mit dem fewer vom leben zum todt richten". Einheitliche „Straff" traf auch Frau und Mann, „so schwangeren weibßsbildern kinder abtreiben" oder „unfruchtbar macht", so daß „der mann mit dem schwert, als ein todtschläger, unnd die fraw so sie es auch an ihr selbst thette, ertrenckt oder sunst zum Todt gestrafft werden".

Als das große Reich Karls zu einem Flickenteppich zerfiel und nahezu jeder absolute Fürst sein „neues", eigenes Recht faßte, ging auch der Sodomiebegriff in ihre territorialen Gesetzbücher über. So wurde etwa in der „Neuen peinlichen Halsgerichtsordnung" für Böhmen, Mähren und Schlesien aus dem Jahre 1711 festgestellt, daß die „sodomitische Sünde eine unzulässige und wider die Natur bestehende Wollust sei, welche geschieht, wenn Mann mit Mann oder Weib mit Weib oder auch Weib mit Mann wider die Natur etwas Fleischliches verübe; derley zum Abscheu der Natur selbsten sich versündigende Unmenschen können nach Schwere der Missetat gleich lebendig verbrennet, oder vorerst geköpft und alsdann verbrennt werden; geschieht sie aber zwischen Mensch und Vieh, so ist der Täter lebendig und das Vieh samt ihm zu verbrennen." Auch die Gerichtsakten warf man häufig gleich mit in die Flammen, um nichts von der Sünde übrigzulassen. Und die „Constitutio criminalis" der Maria Theresia von 1769 setzte noch dazu, daß auch „die von jemandem *allein* begangenen widernatürlichen Unkeuschheiten" unter die Feuer- oder Schwertstrafe fielen, sofern „emissio seminis" geschah, also der kostbare Stoff nutzlos verschleudert wurde. Falls nicht, konnte die Hinrichtung in eine angemessene Leibesstrafe umgewandelt werden.

Wie hoch der Anteil der „Sodomiter" unter den Todesurteilen des Mittelalters war, ist kaum auszumachen. Die christlichen Chroniken überliefern nur selten Handlungen, die vor „züchtigen Ohren" zu nennen selbst schon eine Sünde war. Aus Augsburg ist bekannt, daß dort im März 1409 auf Veranlassung Bischof Eberhards ein Gerber der „Sodomiterei" wegen lebendig verbrannt wurde. Hingerichtet wurde auch ein Geistlicher der Johanniskirche namens Weralach sowie Ulrich Frey und Jakob Kiess. Sie wurden in einem „hölzern Turm aufn Perlach

Turm, mit geschränkt gebundenen Händen und Füßen herausgehenkt und mit Hunger, den sie von Samstag an biss auf den folgenden Donnerstag und Freitag erlitten, getötet, nachmals von den Henkern unter dem Galgen begraben". Auf dem Fischmarkt in Zürich wurden am 24. September 1482 der Ritter Richard von Hohenburg mit seinem Burschen Anton Mätzler aus Lindau im Beisein von 10000 Menschen lebendig verbrannt. Noch im Jahre 1731 ersetzte der Preußenkönig Friedrich Wilhelm I. der Stadt Potsdam die Kosten, die ihr durch die Verbrennung des Sodomiters Lepsch entstanden waren: 16 Taler und 5 Groschen für 3 Haufen Holz, Stroh und Teer.

Im letzten Drittel des 18. Jahrhunderts begannen sich dagegen aufgeklärte Strafen durchzusetzen. Das österreichische Gesetzbuch von 1787 stufte Homosexualität unter die „politischen Verbrechen" ein und bestrafte sie unterschiedlich mit Gefängnis, Arbeitslager und Prügel. Ausschlaggebend blieb, in welchem Grade das Verbrechen „öffentliches Ärgernis" erregt hatte. Das „Allgemeine Landrecht für die preußischen Staaten" (1794) sah für „Sodomiterei und andere dergleichen unnatürliche Sünden, die wegen ihrer Abscheuchlichkeit hier nicht genannt werden konnen" Zuchthausstrafe vor, „Willkommen und Abschied" (Prügelstrafe) eingeschlossen.

In Bayern ging der Gesetzgeber 1813 von der Todesstrafe unmittelbar zu völliger Straflosigkeit über. Diesem Beispiel folgte später eine Reihe anderer deutscher Staaten, indem sie die Strafbarkeit entweder weitgehend aufhoben (Württemberg 1839, Braunschweig und Hannover 1840) oder das Strafmaß ganz erheblich einschränkten: In Baden wurde nur noch bestraft, wenn die Tat öffentliches Ärgernis erregte oder öffentlich bekannt wurde, in Sachsen, Oldenburg, und Thüringen als Höchststrafe zu einem Jahr Gefängnis verurteilt. Diese Liberalisierung war das Ergebnis einer neuen Philosophie und eines veränderten Staatsverständnisses: der Aufklärung. Sie drängte seit der Mitte des 18. Jahrhunderts das religiöse Weltbild des Mittelalters zurück und ersetzte es allmählich durch ein diesseitiges, auf Vernunft, Rationalität und Empirie gegründetes Gesellschaftsbild: die bürgerliche Weltanschauung. Vor allem französische Philosophen und Denker wie Voltaire (1694–1778) und Condorcet (1743–1794) sprachen sich in ihren Schriften für die Entkriminalisierung der Sodomie aus, da hier keine Rechtsverletzung vorliege und die gesellschaftliche Ordnung nur indirekt beeinflußt werde. Als Ergebnis der Französischen Revolution legalisierte der „Code Napoléon" (1810) Homosexualität erstmalig in der Geschichte der Neuzeit.

Auch der Einfluß juristischen Denkens hatte das „Gesetz des Feuers" zurückgedrängt. In Cesare Beccarias revolutionärem Werk „Dei delitti e delle pene" (1764), das in deutscher Übersetzung weit verbreitet war, galt Homosexualität nicht mehr als Verbrechen, „weil es niemandem das Seinige entzieht und nicht aus betrügerischem, boshaften Herzen entspringe, noch die bürgerliche Ordnung zerrüttet".

Karl Ferdinand von Hommel (der deutsche Beccaria) formulierte 1765, daß „Mensch, Bürger und Christ drei unterschiedliche Begriffe" seien und stellte fest, daß „der größte Teil unserer Polizeiverordnungen aus Predigten entstanden" seien. Entschieden bezweifelte er, „daß Gott durch Hängen und Köpfen sich versöhnen lasse und daran gefallen trage, daß Ketzerey bestraft werden müsse, daß unordentliche Vermischung des Fleisches ein weit größeres Verbrechen sey, als Straßenraub und Gift".

Der Rechtsgelehrte Johann Jacob Cella trat in seiner polemischen Schrift „Verbrechen und Strafe in Unzuchtsfällen" (1787) für eine Herausnahme der „fleischlichen Verbrechen" aus dem Kriminalrecht ein, denn die Aufrechterhaltung der guten Sitten sei nicht unmittelbar Zweck des Staates. „Unzuchtsfälle" seien vielmehr dem Bereich der „Sittenpolizei" zuzuordnen, die nur den Schutz Minderjähriger vor Verführung zu sichern sowie für den Schutz der Öffentlichkeit zu sorgen habe.

„Es ist also gar nicht so", schrieb 1969 der ehemalige Berliner Justizsenator Jürgen Baumann in einer Studie mit dem Titel „Paragraph 175", „daß sich die deutsche Strafrechtswissenschaft einmütig oder auch nur überwiegend für die Strafbarkeit ausgesprochen hätte. Man war im Gegenteil viel fortschrittlicher und moderner, als gemeinhin vermutet wird".

Als die aufgeklärten Juristen Ende des 18. und zu Beginn des 19. Jahrhunderts die Neuformulierung eines von Staat und Kirche unabhängigen Rechts propagierten, waren sie freilich der Meinung, „sie würden nur die ewigen Grundsätze eines von den Auswüchsen der barbarischen Zeit befreiten Naturrechts wiederherstellen" (Bernal). Sie formulierten ein „Naturrecht", das sie aus einer „aufgeklärten" menschlichen Natur herleiteten. Dieses Naturrecht sei dem Menschen durch seine *Vernunft* stets erkennbar und jederzeit und überall, unabhängig von Interessen, unabhängig von Ort, Zeit und Bedingungen gegenwärtig, schwebe quasi wie ein Geist über einer vernünftigen, aufgeklärten und bürgerlichen Gesellschaft.

Das „Naturrecht" wurde als Recht schlechthin verabsolutiert. Menschen, die gegen dieses Recht verstießen, so die Aufklärer, handelten unvernünftig und somit wider die Natur. Die Natur der Sexualität wurde, wie bei den Tieren, als Fortpflanzung der Gattung angesehen. Menschen eines Geschlechts durften nicht sexuell miteinander verkehren, weil diese Sexualität unvernünftig war: Sie lief dem Zweck der bürgerlichen Natur zuwider. Wenn es dennoch Menschen gab, die sich sexuell unvernünftig verhielten, so mußte es dafür einen Grund geben: Krankheit.

Aus den Homosexuellen, den Ketzern und Sündern des Mittelalters, waren in einem aufgeklärten, säkularisierten Weltbild Kranke geworden. Das medizinische Krankheitsmodell, welches sich im 19. Jahrhundert entwickelte, führte alle Krankheiten auf organische Ursachen zurück, auf eine biologische Dimension, die es jeweils zu erforschen galt.

In der medizinischen Spezial-Literatur dieser Epoche stand vor allem die empirische Erfassung und Beschreibung „der in Rede stehende Erscheinung" im Vordergrund, für die sich nun immer häufiger der Begriff „conträre Sexualempfindung" einbürgerte. Ärzte aller Fachrichtungen vermaßen und beschrieben Homosexuelle, untersuchten die Krankheiten von deren Eltern und Geschwistern und forschten nach allen Richtungen, um eine Erklärung für die „sonderbare Erscheinung" zu finden.

Einig war man sich darin, daß Homosexualität häufig ein „angeborener Defect geschlechtlicher Empfindung gegenüber dem anderen Geschelcht“ sei und daß „diese räthselhafte Erscheinung“ trotz „körperlich vollkommen differenziertem geschlechtlichen Typus und normaler Entwicklung der Geschlechtswerkzeuge“ bestehe. Das renommierte Fachblatt „Archiv für Psychiatrie und Nervenkrankheiten“ stellte in seiner Ausgabe von 1877 (Band VII) weiterhin fest, daß bei fast allen wissenschaftlich dokumentierten Fällen von Homosexualität bei den Betroffenen ein „peinliches Bewusstsein des angeborenen Defects und der perversen Geschlechtsempfindung“ vorhanden sei. Später, in der zweiten Hälfte des folgenden Jahrhunderts, sprach man in diesem Zusammenhang von der Homophobie der Homosexuellen.

Die Therapie der Homosexualität sollte nach den Erkenntnissen des berühmten Sexualpathologen Richard von Krafft-Ebing (1840–1903) vor allem drei Punkte umfassen: 1. Bekämpfung der Onanie und anderer schädigender Momente. 2. Beseitigung entstandener Neurosen. 3. Psychische Behandlung im Sinne einer Bekämpfung homosexueller und der Förderung heterosexueller Gefühle und Impulse.

Mochte das in der Praxis auch so etwas wie die wissenschaftliche Quadratur des Kreises bedeuten, andere Wissenschaftler gaben sich mit viel weniger prätentiösen Heilungsversuchen zufrieden: Sie rieten zur Heirat, zur „Ehetherapie“, zu kalten Bädern und harter Arbeit, zu potenzsteigernden oder auch abschwächenden Mitteln und natürlich immer wieder zur Enthaltsamkeit und Selbstdisziplin – ehe als Ultima ratio eine Einweisung in eine Irrenanstalt erfolgte. „Es mag ja traurig erscheinen“, schrieb der Arzt Burghauser in seinem Buch über „Liebe in Natur und Unnatur“ noch bzw. schon im Jahre 1909, „sonst ganz normale und gesunde Menschen gewissermaßen in eine Geschlechts-Irrenanstalt zu sperren, aber eines mag und muß in dem Gedanken versöhnen, daß sich die ‚unter sich‘ Internierten glücklich fühlen werden“.

Mit den Fortschritten der Medizin wurden bald auch Kastration, Hypnose, verschiedene Formen von Chemotherapien, Elektroschock-Verfahren und Hormontherapien angewendet, um der wahren Natur zum Endsieg zu verhelfen. Und um die

Jahrhundertwende schlug der Mediziner Dr. Bodländer allen Ernstes vor, „man müsse vor allem die Hirnregion ermitteln, in welcher der homosexuelle Trieb lokalisiert sei, dann könnte man nach Trepanation des Schädels leicht durch Zerstörung dieses Zentrums die Homosexualität beseitigen“ (Stereotaxie).

Aber auch die aufgeklärte Kirche bot Hilfe. Die Zeitschrift „Pastoral-Medizin“ etwa meinte, daß „psychische Konträrsexuelle namentlich dem Seelsorger ein dankbares Objekt zur Rettung“ bieten, und das protestantische Missionsblatt „Mara atha“ bat Homosexuelle beiderlei Geschlechts: „Stellt euch in das Licht der göttlichen Majestät und prüft euch auf Herz und Gewissen: erkennt die Ursache eurer Geistes- und Geschlechtsverwirrung, nehmt die Geisteskraft Gottes als Heilmittel an und macht euch frei von der Geisteskrankheit der ‚Homosexualität‘, die euer Leben vergiftet, euer Gewissen beschwert, euch um Gesundheit, Glück und Wohlergehen betrogen“.

Vor allem Selbstdisziplin wurde angesichts der Verhüllung alles Sexuellen als allerhöchste Tugend angesehen. Auch Bürgertum und Sexualität liebten sich nicht. Die biologistischen Erfindungen vom „Fortpflanzungstrieb“ des Mannes und dem „Mutterinstinkt“ der Frau zeigten an, daß ein naturwissenschaftlich orientiertes Patriarchat nicht prinzipiell eine andere Moral erfand, sondern die alte modernisierte. So erkannte eine zeitgenössische medizinische Fachzeitschrift, „daß nicht eine von hundert Bräuten, die als wohlerzogene, vornehme und empfindliche Frauen gelten mögen, in die Ehe aus sexuellen Bedürfnissen heraus eingewilligt hat. Wenn Frauen überhaupt daran denken, so nur mit Schaudern, wenn nicht gar mit Schrecken; auf keinen Fall verspüren sie aber ein Bedürfnis nach Sexualität“.

Die Ehe blieb der einzige Ort, an dem Sexualität legitim war. Und so drängten Prüderie und Doppelmoral alle durch die Institution der monogamen Ehe nicht befriedigten Bedürfnisse in eine (von der Sittenpolizei überwachte) Subkultur. In den großen, durch die Industrialisierung rasch anwachsenden Städte bildete sich auch eine homosexuelle Subkultur. Ihre Besucher freilich mußten stets auf Anonymität bedacht sein. Erpressung,

Denunziation, Skandale, Razzien der „Sitte“ schlossen immer die Gefahr der Existenzvernichtung ein.

Obwohl gerade unter dem Einfluß der aufgeklärten Medizin der Ruf nach Straflosigkeit der Homosexualität allgemein einsetzte („Keine Strafe für Kranke“), setzten sich diese Forderungen vor allem in der Gesetzgebung Preußens nicht durch. Besonders nach dem Scheitern der Revolution von 1848/49 und dem Einsetzen des preußischen Hegemonialstrebens im Deutschen Bund Ende der fünfziger Jahre bedrohten restaurative Kräfte die aufgeklärte (Sexual-)Gesetzgebung in allen Staaten des Deutschen Bundes.

In dieser Situation trat zum erstenmal in der Geschichte ein Homosexueller mit einer Kampfschrift an die Öffentlichkeit, um gegen die seiner Minderheit angetane Gewalt zu protestieren. Der homosexuelle Jurist und Privatgelehrte Dr. Karl Heinrich Ulrichs (1825–1895) forderte in seiner 1864 in Leipzig erschienenen Schrift „Vindex. Social-juristische Studien über mannmännliche Geschlechtsliebe“ nicht nur das Ende staatlicher und gesellschaftlicher Verfolgung der gleichgeschlechtlichen Liebe, sondern zugleich die Homosexuellen auf, sich zu organisieren und für ihre Bürgerrechte zu kämpfen.

Dieser erste Versuch zur Organisierung der Betroffenen gestaltete sich aber alles andere als einfach: Wirkten doch die staatlichen und gesellschaftlichen Unterdrückungsmechanismen so, daß ein sich selbst als homosexuell begreifender Mensch den Eindruck haben mußte, es gäbe außer ihm selbst nur noch eine Handvoll weiterer auf deutschem Boden. So berechnete Ulrichs, daß es in jeder Stadt mit 100000 Einwohnern mindestens 50 erwachsene Homosexuelle geben dürfte, allein in Berlin mit seiner halben Million Bewohnern „mehr als 250“ und im ganzen Deutschen Reich 30000 bis 35000. Bis zu der Entdeckung von Hirschfeld, Kinsey und Masters/Johnson, daß Millionen Männer und Frauen sexuelle Beziehungen zu gleichgeschlechtlichen Partnern unterhalten und den gewaltigen Demonstrationen amerikanischer „gays“ in den siebziger und achtziger Jahren des 20. Jahrhunderts sollte es noch ein langer Weg sein. Die *allgemeine* sexuelle Unterdrückung, die groteske

Karl Heinrich Ulrichs (aus: Jahrbuch für sexuelle Zwischenstufen, 1899)

Unkenntnis über sexuelle Dinge und die bigotte Prüderei des 19. Jahrhunderts bewirkten, daß die Masse der Homosexuellen ihre „eigene Natur“ nicht wahrzunehmen wagte.

Ulrichs unterschied die „weiberliebende“ und die „männerliebende“ Natur, das heißt die heterosexuelle Liebe der „Dioninge“ und die homosexuelle der „Urninge“ (Männer) und „Urninden“ (Frauen). Diese merkwürdigen Begriffe entnahm er, um medizinische Bezeichnungen wie „conträrsexuell“ oder „homosexuell“ zu vermeiden, aus der griechischen Mythologie. „Daß unsere Liebesacte zur Fortpflanzung nicht tauglich sind“, schrieb er, berechtige nicht, den „Urning“ in „das Bett der ihm fremden Dionings-Natur“ zu zwängen. „Nach unserer eigenen Natur verlangen wir nun aber auch beurteilt zu werden ... Laut protestieren wir gegen den Mißbrauch, den bisher die Dionings-Majorität ... gegen uns betrieben hat. Das Liebesglück vieler unter uns hat sie vergiftet durch namenlose Mißhandlung und Verfolgung und durch Beschimpfung ihrer Ehre“.

Insbesondere griff er die herrschende Vorstellung von „Unzucht“ an: „Alle Liebesacte, welche außerhalb der Ehe erfolgen, insbesondere auch die unsrigen, pflegt ihr aus dem Gesichtspunkt der *Unzucht* aufzufassen." Die von Staat und Kirche erzwungene Monopolisierung der Sexualität auf die Ehe lehnte er, nicht nur für die Homosexuellen, kategorisch ab.

Wenn auch Ulrichs' Überlegungen völlig im naturrechtlichen Gebäude seiner Zeit angesiedelt waren, so zielte die politische Stoßrichtung *seiner* Naturwissenschaft doch bereits auf die Lösung des permanenten Konflikts Staat – Individuum in der sexuellen Frage ab. So fragte er „Was ist *naturgemäß* und was *naturwidrig*?" und folgerte, daß „für kein Individuum eine ihm fremde Natur maßgebend ist", sondern daß für jeden Menschen seine „eigene Natur" bestimmend sei. Für ihn existierten daher so viele Naturen, wie es Menschen gab. Jeder Mensch bildete in seinen Überlegungen einen eigenen Kosmos mit seiner eigenen Natur, die selbstverständlich auch in der Sexualität ihre Eigenart, ihre individuelle Ausprägung erfuhr. Diese eigene Natur gegen eine fremde, von Staat und Gesellschaft erzwungene Natur zu setzen, bedeutete für Ulrichs, das Recht auf sich selbst, das Recht auf die eigene Sexualität zu erkämpfen.

Der Jurist Ulrichs faßte die homosexuelle Minderheit erstmalig unter dem Begriff „Drittes Geschlecht" zusammen. Obwohl dieser Terminus in der Geschichte der homosexuellen Bürgerrechtsbewegung eine wichtige Rolle spielen sollte, standen für Ulrichs, diesem ersten Organisator und Theoretiker der homosexuellen Emanzipation, nicht etwa – wie später bei dem Arzt Magnus Hirschfeld – ein abweichendes Gebiß oder das Verhältnis Rumpf – Gliedmaßen oder andere „sichtbare anatomische Eigentümlichkeiten" im Mittelpunkt der theoretischen Fundierung seiner Minderheitenpolitik, sondern eine naturrechtlich begründete Demokratisierung der herrschenden Moral.

Mit einer Vielzahl kleinerer Veröffentlichungen versuchte er die Homosexuellen für einen Emanzipationskampf zu gewinnen und die Öffentlichkeit über die sozialen Folgen der Ächtung gleichgeschlechtlicher Liebe aufzuklären. Wie schwierig die Durchführung eines solchen Unterfangens in einer Epoche sexophober Prüderie war, zeigte sich, als Ulrichs im Jahre 1867 auf dem Deutschen Juristentag in München versuchte, einen

Antrag zum Sexualstrafrecht, die Homosexualität betreffend, zu begründen. Bereits nach wenigen Sätzen, von denen keiner das Wort „Geschlecht“ auch nur genannt hatte, setzte unter den etwa 500 Zuhörern des Juristen-Plenums ein entrüsteter Tumult ein, der zu einem Protest-Orkan anschwoll, nachdem Ulrichs von einer „Menschenclasse“ gesprochen hatte, „welche aus keinem anderen Grunde einer strafrechtlichen Verfolgung, einer unverdienten, ausgesetzt ist, als weil die rätselhaft waltende, schaffende Natur ihr eine Geschlechtsnatur eingepflanzt hat, welche der allgemeinen, gewöhnlichen entgegengesetzt ist...“ Auch ein Kompromiß, das Referat in Latein, der Gelehrtensprache des Mittelalters fortzusetzen, konnte nicht gefunden werden. Schließlich sollte über den Antrag ohne Begründung abgestimmt werden. Obwohl ordnungsgemäß eingereicht, blieb er jedoch auf Beschluß der Antrags-Deputation verschwunden. Dazu ihr Vorsitzender: „Der Antrag ist, wenn man will, unterdrückt, ja! Wir haben ihn beseitigen zu sollen geglaubt: einmal weil er mit den bestehenden Gesetzen in Widerspruch steht. Und dann, weil er die Schamhaftigkeit verletzt. Er würde, wenn nur verlesen, die Indignation der Versammlung erregt haben! Die Schamröte würde uns ins Gesicht gestiegen sein! Und da wir ja lateinisch reden sollen, so will ich denn sagen, daß er sexueller Natur ist.“ Entsetzen nun auch bis in die letzten Reihen des Plenums. Nach dieser Logik mußte man wohl annehmen, daß die einschlägigen Paragraphen einst durch die Flammenschrift eines überirdischen Wesens in die Gesetzbücher gelangt waren.

Wie schwer sich aber auch die andere Seite der Gesellschaft mit Natur und Widernatur der Sittlichkeit tat, geht aus einem Briefwechsel zwischen Karl Marx und Friedrich Engels vom Sommer 1869 hervor. Marx hatte Engels eine Broschüre von Karl Heinrich Ulrichs zugeschickt, und Engels antwortete darauf am 22. Juni 1869: „Das ist ja ein ganz kurioser ‚Urning‘, den Du mir da geschickt hast. Das sind ja äußerst widernatürliche Enthüllungen. Die Päderasten fangen sich an zu zählen und finden, daß sie eine Macht im Staate bilden. Nur die Organisation fehlte, aber hiernach scheint sie bereits im Geheimen zu bestehen ... Es ist nur ein Glück, daß wir persönlich zu alt sind, daß wir noch beim Sieg dieser Partei fürchten müßten, den Siegern körperlich Tribut zahlen zu müssen ... Aber warte erst, bis das neue norddeutsche Strafrecht die droits du cul (Anm.: Rechte des Arsches) anerkannt hat, da wird es ganz anders kommen ..."

Es kam ganz anders, als Engels befürchtete. Das Norddeutsche Strafgesetzbuch von 1870 übernahm die preußische Regelung. Erstmalig faßte darin ein deutsches Gesetzbuch die Kriminaliserung der Homosexualität in jenen Paragraphen 175. Im Laufe der Zeit verändert und reformiert, besteht er bis heute im Strafgesetzbuch der Bundesrepublik Deutschland fort.

Ulrichs starb 1895 in Aquila, einem kleinen Ort in den italienischen Abruzzen. „Exul et pauper", verbannt und arm, diese Worte stehen auf seinem Grabstein. Die lateinisch geschriebene Zeitschrift „Alaudae", die der gelehrte Mann dort bis zu seinem Tode herausgab, erfreute sich bei gebildeten Lesern in vielen Ländern geradezu enthusiastischer Bewunderung. Freunde der lateinischen Sprache waren es auch, die Karl Heinrich Ulrichs in Aquila ein Denkmal errichteten. Ob sie dabei von seiner Homosexualität wußten, blieb ungeklärt.

2. Magnus Hirschfeld und die kaiserlichen Urninge

Von den Schwierigkeiten der homosexuellen Emanzipation (1871–1918)

Im Gegensatz zu Bayern und einigen anderen deutschen Staaten hatte sich Preußen nie dazu durchringen können, Homosexualität für straffrei zu erklären. Dennoch gab es auch hier Tendenzen dazu: Der 1. und 5. Entwurf eines „Criminalgesetzbuchs für die preußischen Staaten" von 1827 bzw. 1838 sah die Straflosigkeit der einfachen Homosexualität vor. Nach dem Scheitern der Revolution von 1848/49 setzten sich in Berlin die konservativen Kräfte jedoch endgültig durch.

Der Paragraph 143 des neuen preußischen Gesetzbuches von 1851 enthielt schließlich jene Formulierungen, die nach der Reichseinigung auch in allen anderen deutschen Staaten, nunmehr als Paragraph 175 StGB, gültig wurden: „Die widernatürliche Unzucht, welche zwischen Personen männlichen Geschlechts oder von Menschen mit Tieren begangen wird, ist mit Gefängnis zu bestrafen; auch kann auf Verlust der bürgerlichen Ehrenrechte erkannt werden." Zweimal reformiert, 1935 und 1969/73, besteht der Rumpf dieses Paragraphen bis heute in der Bundesrepublik Deutschland fort.

Protest gegen die Einführung einer solchen Unzuchts-Regelung kam prompt aus Bayern. „Widernatürliche Unzucht ist an sich kein strafbares Delict", schrieb der königlich-bayrische Appellationsgerichtsrat von Stenglein in einem Gutachten. „Sie bedroht weder die Rechtsordnung des Staates, noch dessen sittliche Wohlfahrt." Der Staat solle vielmehr nur jene Formen von Unzucht bestrafen, die „entweder in die Rechte anderer eingreifen, oder welche die Grundlagen des Staates, die Familie, angreifen. Diese Grenzlinie zu verlassen ... besteht kein Grund." Widerspruch kam auch von ärztlicher Seite. Preußens ehrwürdige „Königlich-wissenschaftliche Deputation für das Medizinalwesen“ forderte in einem von Rudolf Virchow (1821–1902) und Bernhard von Langenbeck (1810–1887) sowie anderen prominenten Ärzten unterzeichneten Gutachten die Straflosigkeit der einfachen Homosexualität. Und selbst in der preußischen Regierung blieb der Pragraph umstritten. Ausgerechnet Justizminister Dr. Leonhardt mäkelte an ihm herum. Die auf Unzucht zwischen Mensch und Tier angedrohte Strafe, so Leonhardt, beruhe auf der mittelalterlich-irrigen Annahme, daß eine solche Vermischung Bastarde zwischen Mensch und Tier erzeuge. Das aber sei durch die moderne Wissenschaft doch nun längst widerlegt. Und im übrigen gäbe es zwischen Personen gleichen oder ungleichen Geschlechts eine Reihe anderer widernatürlicher Unzuchtsakte, „welche in gleicher Weise unsittlich seien und gesundheitsschädlich wirkten, ohne daß man sie mit Strafe bedrohe“.

Zur endgültigen Abwehr der Kritik von aufgeklärten Juristen und Medizinern entschloß sich die preußische Regierung, im Namen des Volkes selbst zu sprechen. In einem regierungsamtlichen Kommentar zum Paragraphen 175 zog sie sich auf das „Rechtsbewußtsein im Volke“ zurück und vereinigte auch sprachlich Mittelalterliches mit Aufgeklärtem: Personen, die gegen „das Naturgesetz gesündigt, dem bürgerlichen Strafgesetze zu entziehen und dem Moralgesetz anheimzugeben, würde als gesetzgeberischer Mißgriff getadelt werden“. Denn: „Das Rechtsbewußtsein im Volke beurteilt diese Handlungen nicht bloß als Laster, sondern als Verbrechen, und der Gesetzgeber wird billig Gedanken tragen müssen, diesen Rechtsanschauungen entgegen Handlungen für straffrei zu erklären, die in der öffentlichen Meinung als strafwürdige gelten.“

Preußens Rückgriff auf das „Rechtsbewußtsein im Volke“ bedeutete vor allem eine klare Absage an jene aufgeklärten politischen Kräfte, die den Staat nicht als Moralwächter über die Betten seiner Untertanen wachen sehen wollten. Die Trennung von Staat und Kirche, die sich im gesellschaftspolitischen Diskurs der Aufklärer auch in der klaren Trennung von Naturgesetz und Moralgesetz niederschlagen sollte, war gescheitert.

Mit der Gültigkeit des neuen Strafgesetzbuches für das zweite Deutsche Reich ging 1871 eine Epoche zu Ende, die immerhin in einigen deutschen Staaten ein Menschenalter lang Homosexualität unbestraft gelassen hatte. Eine so aufgeklärte Gesetzgebung, wie sie in Bayern zwischen 1813 und 1871 angewendet wurde, ist bis heute auf deutschem Boden nicht wieder erreicht worden.

Die Rechtsprechung zum Paragraphen 175 beschränkte sich allerdings auf Reichsebene bald nur auf die Bestrafung der sogenannten „beischlafähnlichen Handlungen“. Juristischer Streit aber brach immer wieder darüber aus, was nun genau als beischlafähnlich und was als beischlafgleich anzusehen war, ob die Stellung für die Handlung erheblich und die „Geschlechtswerkzeuge“ bedeckt oder nackend waren, ob der Versuch in wollüstiger Absicht geschehen und ob schließlich der Körper des einen das Sperma des anderen aufgenommen habe oder nicht.

In aller Regel wurde als beischlafähnlich angesehen, was „auf Befriedigung der Geschlechtslust in analoger Weise gerichtet ist, wie sie in naturgemäßer Weise zwischen Personen verschiedenen Geschlechts erfolgt“. So jedenfalls entschied das preußische Obertribunal am 24. Oktober 1877. „Was ‚analog‘ war“, so stellte der ehemalige Berliner Justizsenator Baumann 1968 fest, „richtete sich also nach den Umständen des Einzelfalles und vielleicht auch – horribile dictu – nach den heterosexuellen Erfahrungen des jeweils erkennenden Richters.“ Im Zweifelsfalle blieb die „analog“ durchgeführte Missionarsstellung bei Homosexuellen immer strafbar, da sie im heterosexuellen Umgang den vernünftigen Zweck des Beischlafs, die Befruchtung, wahrscheinlich machte.

In der Praxis hatten es die Richter schwer, den Pragraphen 175 anzuwenden. Da die meisten homosexuellen Akte im gegenseitigen Einverständnis durchgeführt wurden, konnten sich die Angeklagten durch entsprechend abgestimmte Aussage vor dem Gefängnis schützen. Die Schutzbehauptung, man habe sich im ausgezogenen Zustand im Bett nur tief in die Augen geblickt und dabei alles peinlich vermieden, was „das Rechtsbewußtsein im Volke“ beleidigen mochte, eine solche Behauptung konnten die Richter kaum widerlegen. Es sei denn, einem medizinischen Gutachter wäre es gelungen, Spuren der schändlichen Tat nachzuweisen.

Darauf allerdings spezialisierte sich jetzt ein Zweig der Gerichtsmedizin, um Staatsanwaltschaft und Richtern objektive Kriterien in der „Diagnose der Homosexualität" an die Hand zu geben. In Johann Ludwig Caspers verbreitetem „Handbuch der gerichtlichen Medizin" aus dem Jahre 1881 spielten dabei „dutenförmige Einsenkungen der Hinterbacken" eine wichtige Rolle. Der Mediziner sah dieses Merkmal als „ein beachtenswertes diagnostisches Zeichen für passiv betriebene Päderastie" (Homosexualität) an und schrieb: „Passive Gewohnheitspäderasten zeigen diese Einsenkung fast *constant.* Man sieht sie oft schon, ohne daß man die nates (Gesäßbacken) auseinanderlegt, besser aber, wenn dies geschehen ist. Ein solcher Hintern zeigt nicht die gewöhnliche Halbkugel, sondern die Innenseite ist 1½ bis 2 Zoll vom After abgeplattet, und dadurch entsteht eine gewisse Höhlung zwischen den Backen, eine dutenförmige Einsenkung." Als eindeutigen „Beweis" für widernatürlichen Verkehr allerdings mochte auch Casper das Dutenförmige nicht immer gelten lassen. „Bei jungen Männern wird diese Beschaffenheit immer den dringenden Verdacht erwecken müssen; bei älteren muß man sie vorsichtiger würdigen, da ich diese nates bei diesen Männern, zumal bei schon schlaffen und welcken Hinterbacken, auch in ganz unverdächtigen Fällen angetroffen habe." Eine verformende Wirkung beim „Werkzeug" des aktiven Partners konnte das Handbuch allerdings bei deutschen Homosexuellen nicht belegen. In Frankreich jedoch, so berichtete Casper, habe der Gelehrte Thardieu bei einer Untersuchung „von mehr als 200 Subjekten" ein Glied festgestellt, „das sich nach der Eichel mehr und mehr verdünnt und um sich selbst gewunden ist, so daß der Urinstrahl nach rechts und links geht". Casper über diese Sprenkler-Anlage: „Die Erklärung Thardieus, daß man die Zuspitzung und Torsion des Gliedes von wiederholter Einzwängung durch den Schließmuskel, durch die schraubenförmige oder pfropfenzieherartige Einführung des Gliedes allmählich entstehe, wird durch die Tatsache widerlegt, daß ich bei notorisch aktiven Päderasten das Glied gerade so ungemein verschieden und so wenig abweichend von der normalen Beschaffenheit gefunden habe, wie bei allen anderen Männern."

So verrückt es sich aus heutiger Sicht anhören mag: Entdekkungen, daß das Glied eines Homosexuellen nicht ringelförmig war und auch seine sonstige körperliche Beschaffenheit sich nicht von derjenigen eines heterosexuellen Mannes unterschied, bedeutete einen Schritt zur Emanzipation der Minderheit: der Emanzipation von biologistischen Vorstellungen, wonach ein sozial abweichendes Verhalten sich auch konstitutionell niederschlagen müsse. In der gerichtsmedizinischen Praxis bis weit in das 20. Jahrhundert hinein wurden jedoch in medizinischen Gutachten häufig noch abweichende körperliche Merkmale bei Homosexuellen diagnostiziert, wenn es darum ging, über Freispruch oder Gefängnis zu entscheiden.

Selten nur überschritt vor der Jahrhundertwende, wie aus *Tabelle 1* zu erkennen ist, die Anzahl der Verurteilungen die Zahl von 500 jährlich.

Gemessen an der sexuellen Wirklichkeit, bedeutete dies, daß nur ein verschwindend geringer Teil der tatsächlich vorkommenden Fälle von Homosexualität polizei- und gerichtskundig wurde. Ein weit größerer Teil der Homosexuellen dagegen fiel den Folgen der gesellschaftlichen Diskriminierung zum Opfer. Auf zehn, die dem Strafgesetz verfallen, so berechnete Hirschfeld, käme die hundertfache Zahl, über die ein Erpresser zu Gerichte säße. Häufig genügte die bloße Kenntnis von der Homosexualität, um aus dem wertvollen Geheimnis Kapital zu schlagen. Obwohl die Gefahr, erpreßt zu werden, bei wohlhabenden „Urningen" natürlich am größten war, blieben prinzipiell auch Arbeiter, Handwerker, Tagelöhner und selbst Schüler nicht von den „Chanteuren" – so der zeitgenössische Ausdruck – verschont. Erpressungen kamen eingeschrieben und per Eilpost, als offene Postkarte oder im verschlossenen Brief, erreichten das Opfer als aufgeklebter Zettel mit denunziatorischem Inhalt an der Geschäfts- oder Wohnungstür oder mochten gar vom „Chanteur" im dunklen Anzug während der

Tabelle 1: Vergehen nach § 175 StGB 1882 bis 1918

Jahr	Rechtskräftig Abgeurteilte	Verurteilte
1882	390	329
1883	341	269
1884	436	345
1885	480	391
1886	438	373
1887	489	418
1888	441	353
1889	451	367
1890	496	412
1891	542	446
1892	567	459
1893	629	524
1894	669	532
1895	605	484
1896	672	536
1897	679	563
1898	645	533
1899	639	491
1900	655	535
1901	750	621
1902	364/393[1]	613
1903	332/389	600
1904	348/376	570
1905	379/381	605
1906	351/382	623
1907	404/367	612
1908	282/399	658
1909	510/331	677
1910	560/331	732
1911	526/342	708
1912	603/322	761
1913	512/341	698
1914	490/263	631
1915	233/120	294
1916	278/120	318
1917	131/70	166
1918	157/3	118

[1] Die erste Zahl gibt die Fälle der „widernatürlichen Unzucht“, zwischen Männern, die zweite die Fälle der „widernatürlichen Unzucht“ zwischen Mensch und Tier (Bestialität) an.

Quelle: Baumann, a.a.O., Seite 58f.

Opernpause im Foyer überreicht werden. „Es küßt Dich innigst, Deine Schraube ohne Ende", so unterschrieb einer seine Botschaft. Ein anderer klagte: „Bis ich Sie kennenlernte, war ich ein anständiger Mensch, jetzt habe ich allen moralischen Halt verloren." Da Homosexualität als Krankheit angesehen wurde, blieb es selbstverständlich nicht aus, daß sich der Erpresser angesteckt fühlte. Dabei kannte er sich meistens in der jeweiligen juristischen Auslegung des Paragraphen 175 gut aus. Während der Zeit, als allein der Analverkehr als „beischlafähnlich" kriminalisiert wurde, überwogen bei den Erpressern Krankheiten am Po. Später, als auch der Oralverkehr bestraft wurde, überwogen die am Mund und bei einigen, die wohl schon mehr psychologisch orientiert waren, jene am Kopf.

Nicht selten kam es vor, daß Erpressungen durch Lockvögel an homosexuellen Treffpunkten eingefädelt und provoziert wurden. Waren Name und Anschrift des Opfers einmal bekannt, so folgte in aller Regel ein Brief mit einer finanziellen Forderung und den abschließenden Worten: „Sollte ich bis morgen keine Antwort bekommen, nehme ich an, daß Sie selbst gerichtliche Entscheidung wünschen. Mein Leben ist durch Sie ohnehin zerstört."

Karl Heinrich Ulrichs berichtete, daß bei einem wohlhabenden Homosexuellen nicht mehr und nicht weniger als 24 „Rupfer" in mehreren Jahren die Summe von 242000 Mark erpreßten. Ein Münchner Anwalt zahlte um die Jahrhundertwende 545000 Mark, und zuweilen wurde selbst über den Tod des Opfers hinaus erpreßt. So erwähnt Hirschfeld einen Fall, in dem 35 Jahre nach der Tat und nachdem *beide* Männer, der Erpresser und sein Opfer, längst gestorben waren, von der Familie des Homosexuellen immer noch Geld an die „Erben" des Erpressers gezahlt wurde.

Nur selten gelangten „Chanteure" vor den Richter. Für den preußischen Innenminister Freiherr von Hammerstein waren daran die Erpreßten selbst schuld. „In den allermeisten Fällen", führte er in einer Rede vor dem preußischen Abgeordnetenhaus im Jahre 1905 aus, „hindert ein ganz ungewöhnliches Schamgefühl denjenigen, der derartiger Erpressung erlegen ist, die Sache vor Gericht zu bringen; er wird bis aufs Blut gequält, bis eine Katastrophe seinem Leben ein Ende macht, wobei nachher niemand weiß, was der Grund gewesen ist." Das ungewöhnliche Schamgefühl freilich hatte in der Regel einen ganz gewöhnlichen Grund: die Furcht des Erpreßten, daß bei einer Anzeige der öffentliche Skandal nur noch schneller erfolgen und damit die Existenzvernichtung noch rascher eintreten könnte. Die Hoffnung, auf irgendeine Weise den Erpresser abschütteln zu können, blieb meistens stärker als das Vertrauen in eine Justiz, die Homosexualität als Offizialdelikt verfolgte. Zahlreich belegt sind die Fälle, in denen gerade Beamte sogleich entlassen wurden, wenn eine Bestrafung wegen Homosexualität erfolgt war. Einmal als „Warmer" abgestempelt, war es dem Vorbestraften praktisch unmöglich, wieder eine andere Arbeitsstelle zu finden.

Als letzten Ausweg blieb Homosexuellen immer noch der Selbstmord. Auf Grund von Beobachtungen an 10000 Homosexuellen kam eine entsprechende Untersuchung aus der Zeit vor 1914 zu dem Ergebnis, daß rund ein Viertel bereits „mehr oder weniger ernste Selbstmordversuche" hinter sich hatte. Bei 3 Prozent gelang der Selbstmord, wobei das Gros, nämlich 51 Prozent, wegen eines eingeleiteten oder drohenden Strafverfahrens aus dem Leben schied, 14 Prozent wegen Erpressung, 8 Prozent wegen Konflikten mit der Familie, 2 Prozent wegen „Impotenz dem Weibe gegenüber". Fast jeder fünfte Suizid war ein Doppelselbstmord, das heißt in 18 Prozent der Fälle schieden zwei Freunde bzw. zwei Freundinnen gemeinsam aus dem Leben, weil sie sich dem gesellschaftlichen Druck nicht gewachsen fühlten. Die Erkenntnis, homosexuell zu sein, trieb besonders häufig junge Leute im Alter von 18 bis 25 Jahren in den Freitod. Für die heterosexuelle Umwelt fanden diese Selbstmorde meistens aus „unbekannten Gründen" statt, selbst Eltern und Verwandte standen häufig „vor einem Rätsel".

War das „coming out" einmal geschafft, dann stand der Weg offen in eine homosexuelle Subkultur, die in einer Weltstadt wie Berlin bereits um die Jahrhundertwende beachtliche Ausmaße erreicht hatte. Diese Orte der Subkultur freilich waren so verschieden wie die gesellschaftliche Situation, in der sich der einzelne Homosexuelle befand. Um unter seinesgleichen sein zu können, Freunde zu finden, die eigene Erfahrung mit anderen zu teilen und dadurch den Druck von Gesetz und Gesellschaft ein wenig zu mildern, spielte die Subkultur für Homosexuellle schon immer eine wichtige Rolle. Wieweit sich der Einzelne allerdings in die „Szene“ integrierte, hing nicht immer, aber meistens davon ab, was er dadurch zu verlieren hatte. Die Verfolgung durch Gesetz, Gesellschaft und Chanteure, deren Agenten sich allzu häufig auch noch in den eigenen Reihen befanden, machte Vorsicht in der Subkultur zu einer Überlebensfrage. Anonymität bestimmte die Umgangsformen dort, wo sich Homosexuelle in Massen trafen.

Rund vierzig einschlägige Lokale zählte ein Zeitgenosse vor dem Ersten Weltkrieg in Berlin. Wenig nur – von den Preisen einmal abgesehen – schien sich die kaiserliche Subkultur, in Hirschfelds „Berlins Drittes Geschlecht“ anschaulich beschrieben, von der heutigen zu unterscheiden. Es gab Lokale für alle gesellschaftlichen Schichten, „hochelegant ausgestattete Bars, in denen der geringste Satz für eine Konsumation eine Mark ist, bis hinunter zu den kleinbürgerlichen Kneipen, wo das Glas Bier 10 Pfennig kostet ... Jede dieser Wirtschaften hatte ein besonderes Gepräge, in der einen halten sich nur Ältere, in der anderen nur Jüngere, wieder in einer anderen Ältere und Jüngere auf. Fast alle sind gut besucht, an Sonnabenden und Sonntagen meist überfüllt. Wirte, Kellner, Klavierspieler sind fast ausnahmslos selbst homosexuell.“

Nur wenige Lokale blieben allerdings länger als ein paar Jahre „einschlägig“. Stets machten neue auf und alte zu, so daß immer eine verwirrende Fluktuation stattfand, die es Fremden nie ganz leicht machte, einen beständigen Überblick über die Szene zu erhalten. Zuweilen kam es vor, daß ganz „normale“ Kneipen für wenige, aber bestimmte Stunden am Tag eine homosexuelle Invasion erlebten, die sich ein halbes Jahr später aus unerfindlichen Gründen wieder in ein anderes „normales“ Lokal verlagerte. Über diese „Kuckuckseier“ mußte ein Homosexueller, der etwa aus der Provinz in die Reichshauptstadt kam, stets informiert sein, wollte er sich im Dschungel der Subkultur nichts entgehen lassen. Freilich trugen auch Konzessionsschwierigkeiten dazu bei, den Wechsel in der Sub zu begünstigen. Zwölfmal, so wird von einem Wirt berichtet, hätte er in zwei Jahren homosexuelle Trefflokale auf- und zumachen müssen.

Um die Jahrhundertwende kamen in Berlin jene berühmten „Urningsbälle" mit kostbaren „Galafummeln" und „märchenhaften" Dekorationen auf, zu denen man/frau selbst weite Anreisen aus London, Paris oder Budapest nicht scheute. Bis zu tausend Personen nahmen an derartigen Spektakeln teil. Darunter meist ein halbes Dutzend Geheimpolizisten, die darauf zu achten hatten, daß nichts Unschickliches passierte. Berlin, die preußische Weltstadt, gab sich liberal und tolerant, und setzte bei solchen Anlässen sogar das Tanzverbot von Männern untereinander stillschweigend außer Kraft.

Wer selbst auf derartigen Massenveranstaltungen allein blieb oder ihnen aus Furcht vor Entdeckung fernbleiben mußte, hatte immer noch die Chance, einen Partner per Zeitungsannonce zu finden. Die Zeitungsanzeige „Herr, 23, sucht Freund. Zuschriften unter 'Sokrates', Hauptexpedition Kochstr. erbeten" schloß Ahnungslose ebenso aus, wie diese: „Fräulein, anständig, 24 Jahre, sucht *hübsches* Fräulein als Freundin. Offerten unter ..." Freilich holte man oder frau die Offerten stets persönlich ab und ließ sie sich nicht etwa mit der Post zuschicken, damit Name und Anschrift geheim blieben.

Kontaktmöglichkeiten organisierte sich die diskriminierte Minderheit auch auf Straßen und Plätzen. Fast immer waren es belebte Orte im Zentrum einer Stadt, Bahnhöfe, Theater- und Opernhäuser eingeschlossen. Freilich unterlagen die Orte der Subkultur auch einer Hierarchie. Das Helle, Unverdächtige stand ganz oben, und je dunkler es wurde und je mehr es stank, desto mehr waren die Treffs verrufen. Das öffentliche Pissoir, die Klappe, bildete stets die unterste Stufe. „Klappensteher" galten als verklemmt, unfähig zu sozialen Kontakten. Nächtliche Parkanlagen rangierten dagegen bereits eine Stufe höher. Doch ebenso wie die Klappen blieben sie gefährlich. Immer lockten sie auch Personen an, die auf die eine oder andere Weise ihr Geschäft mit Homosexuellen anstrebten.

Berühmt-berüchtigt etwa war der „schwule Weg“ im Berliner Tiergarten. Selbst der Berliner Volksmund nannte den Pfad bei diesem Namen. Schon vor dem Ersten Weltkrieg existierte er, wie ein Zeitgenosse berichtete, „durch Jahrhunderte bis in unsere Tage“. Meistens ließ sich die Altehrwürdigkeit solcher Treffs durch Presseveröffentlichungen über Morde rekonstruieren. So wurde das heutige Hamburger „Tabakgärtchen“, zwischen Dammtorbahnhof und BAT-Hochhaus gelegen, schon in den zwanziger Jahren des 19. Jahrhunderts, damals noch Wallanlage, in der Presse als dunkler Treff erwähnt: Ein Offizier der Bürgerwehr war dort von zwei Handwerksburschen „aus sittlichen Gründen“ ermordet worden. Im Berliner Tiergarten freilich gab es gegen derartige Vorkommnisse um die Jahrhundertwende so etwas wie eine Alarmanlage: Beim ebenfalls homosexuellen „Beschließer des Gartens“ konnten Besucher für zehn Pfennig eine „Eintrittskarte“ erwerben, „wofür man dann auch mancherlei Auskünfte erhielt, vor allem ob ‚die Luft rein‘ und keine ‚Greifer‘ in der Nähe“ waren.

Anonymität und Dunkelheit sowie schnelles Kommen und Gehen blieb für Plätze dieser Art immer eine wichtige Voraussetzung. „Als einmal ein Berliner Polizeipräsident bei einer Orientierungsreise meinte, daß eine bessere Beleuchtung dem ‚schwulen Weg‘ im Tiergarten den Garaus bereiten könnte, wurde ihm von seinem Begleiter“, wie Hirschfeld berichtet, „mit Recht erwidert, daß diese Maßregel nur eine Abwanderung derselben Elemente nach einer dunkleren Stelle bewirken würde.“

Der Zwang zum Doppelleben und die Flucht ins Dunkle blieben kausale Folgen des Paragraphen und der gesellschaftlichen Ächtung. „Dies bewirkt“, schrieb Hirschfeld, „daß der Urning im Gegensatz zu dem Heterosexuellen seine Privatwohnung möglichst von sexuellem Verkehr freihält, einerseits um das Geheimnis seines Namens zu wahren, andererseits um sich nicht in seinem Haus hinsichtlich seiner Neigung verdächtig zu machen. Er ist daher in viel höherem Maße als der Normale darauf angewiesen, zur sexuellen Entspannung außerhalb seines Hauses gelegene Stätten aufzusuchen."

Die Masse der Homosexuellen suchte solche Orte nur gelegentlich auf. Schon um sich selbst zu schützen, bevorzugten sie überschaubare Kreise und/oder feste soziale Beziehungen, unter denen sich stets auch einige eingeweihte Freundinnen befanden. Auf selten mehr als ein bis zwei Dutzend beschränkten sich Zirkel von privaten Freundeskreisen, die sich zu geselligen Veranstaltungen aller Art zusammenfanden. Diese Form des Umgangs blieb, abgesehen von gelegentlichen Besuchen in der Subkultur, die bestimmende für Homosexuelle. In seinen „Großstadtdokumenten" berichtet Hirschfeld von sehr verschiedenen Zirkeln, so von einem, der „aus lauter homosexuellen Prinzen, Grafen und Baronen" bestand und sich „kaum von Herrengesellschaften derselben Schicht" unterschied: „Während man an kleinen Tischen opulent speiste, unterhielt man sich anfangs lebhaft über die letzten Aufführungen Wagner'scher Werke. Dann sprach man von Reisen und Literatur, fast gar nicht über Politik, um allmählich zum Hofklatsch überzugehen."

Das Vermeiden politischer Gespräche war in derartigen homosexuellen Freundeskreisen durchaus verbreitet. Sprengte doch dieser spröde Stoff nicht nur das instabile Gleichgewicht des mühsam erlesenen Kreises, sondern erinnerte auch zu brutal an die Widerwärtigkeiten der rauhen Umwelt, die – dem Anlaß eines solchen Treffens gemäß – zumindest für einige Stunden vergessen werden sollten.

Mochten sich die politischen Standpunkte Homosexueller im einzelnen auch nicht wesentlich von der Schicht abheben, der sie selbst angehörten, in einem Punkt aber divergierte die Minderheit grundsätzlich von ihren heterosexuellen Mitmenschen: in der Unfähigkeit, ihre politischen und sozialen Interessen organisiert und gemeinsam zu vertreten. Magnus Hirschfeld, der wie kein anderer vor und nach ihm die Welt der Homosexuellen empirisch erforscht und als Betroffener selbst erfahren hat, erklärte dieses merkwürdige Phänomen bereits vor dem Ersten Weltkrieg aus dem Umstand, daß Homosexuelle, „von kleine-

Magnus Hirschfeld, Gründer des WHK und Herausgeber der „Zeitschrift für Sexualwissenschaft“

Karl Giese, Schüler und Sekretär Hirschfelds, hält auf der Bühne des Ernst-Haeckel-Saals im Institut für Sexualwissenschaft einen Vortrag.

ren Konventikeln abgesehen, des Solidaritätsgefühls fast gänzlich ermangeln, ja daß es kaum eine zweite Menschenklasse gibt, die sich in so geringem Grade zur Wahrnehmung gemeinsamer Rechts- und Lebensinteressen zu organisieren verstanden hat." „Unfähig zur Emanzipation?" so fragte selbst noch der Titel eines 1977 erschienen Buches über „Homosexuelle zwischen Getto und Befreiung".

Sofern die staatliche Verfolgung nicht gerade terroristische Ausmaße annahm, stellte sich das Problem der gesellschaftlichen Emanzipation für jede nachgewachsene Generation von Homosexuellen stets aufs neue. Doch wenn es tatsächlich zu Ansätzen einer Organisation kam, dann wurde diese in aller Regel nur von einer Handvoll unentwegter Aktivisten getragen. Das Gros der Homosexuellen boykottierte sie, verdrängte jede Form der Diskriminierung und blieb somit „nichts als eine führerlose verstreute Zahl rechtloser Parias" – wie der Autor eines Buches über „Das perverse Berlin" es um die Jahrhundertwende auszudrücken beliebte.

Mochten die homosexuellen Verbände zuweilen sogar ansehnliche Mitgliederzahlen aufweisen und den „Kampf für unsere Freiheit" auf ihre Fahnen geschrieben haben, so dienten sie allzu häufig doch nur privaten, subkulturellen Zwecken, „was dann leicht zu allerlei Mißhelligkeiten, vor allem zu Ablenkungen vom eigentlichen Ziel der Korporation, auch wohl zu Eifersüchteleien führen kann" (Hirschfeld). Die einzige Bewegung der meisten homosexuellen Zusammenschlüsse blieb fast immer die um sich selbst.

Eine der wenigen Ausnahmen von dieser Erscheinung bildete das „Wissenschaftlich-humanitäre Komitee" (WhK). Am 15. Mai 1897 in Berlin-Charlottenburg gegründet, bestand es bis Juni 1933. Außer dem Arzt Magnus Hirschfeld, der als Motor und Spiritus rector dieser sehr effektiv arbeitenden Organisation wirkte, gehörten der Leipziger Verleger Max Spohr, der Jurist und Verwaltungsbeamte Eduard Oberg aus Hamm (Westfalen) und der ehemalige Offizier Franz Josef von Bülow zu den vier Gründungsmitgliedern. Bis 1905 war die Vereinigung, in deren leitenden Positionen vorwiegend Wissenschaftler und Akademiker saßen, auf 408 Mitglieder angewachsen. Spätere Zahlen sind nicht bekannt. Mitglied konnte ohne Rücksicht auf politische und religiöse Anschauungen, Beruf, Geschlecht und sexueller Orientierung jede(r) werden. Strikte parteipolitische Unabhängigkeit blieb grundlegendes Prinzip der WhK-Politik. Der Leiter (bis 1929 Magnus Hirschfeld) und die sechs Vorstandsmitglieder mußten ihren Wohnsitz in Berlin haben. Die jährliche „Generalversammlung" wählte zugleich eine „Obmannschaft". Obwohl dieses Gremium möglichst pluralisitsich zusammengesetzt sein sollte, wurde aber „der naturwissenschaftlich-medizinischen und der juristischen Fakultät ein gewisses Vorrecht zugebilligt". Die Obmänner bzw. -frauen standen dem Leiter bei allen wichtigen Fragen und Entscheidungen beratend und beschließend zur Seite. Bis kurz vor Ausbruch des Ersten Weltkriegs verfügte das Komitee über Obmänner und -frauen in vielen europäischen Staaten und in Übersee. Nach seinem Muster nahmen bis 1914 ähnliche Organisationen auch in Holland, England, Österreich und der Schweiz ihre Arbeit auf. Mit Ausnahme der niederländischen Gruppe blieben jedoch alle diese Gründungen nur von kurzer Lebensdauer.

In der programmatischen Gründungserklärung von 1897 setzte sich das Komitee u.a. die Aufgabe, „auf Grund sichergestellter Forschungsergebnisse und der Selbsterfahrung vieler Tausender endlich Klarheit darüber zu schaffen, daß es sich bei der Liebe zu Personen des gleichen Geschlechts, der sogenannten Homosexualität, um kein Laster und kein Verbrechen, sondern um eine von Natur tief in einer Anzahl von Menschen wurzelnde Gefühlsrichtung handelt". Unter dem Motto „Weder Krankheit noch Verbrechen" arbeitete das Komitee nicht nur an der Aufklärung von Bevölkerung und politischen Institutionen, sondern half ebenso in Not geratenen Homosexuellen. Das Hauptanliegen jedoch blieb die Beseitigung des Paragraphen 175.

Mit dem Namen und der Tätigkeit des Arztes Magnus Hirschfeld (1868–1935) blieb die Arbeit des WhK untrennbar verbunden. In Kolberg als Sohn des jüdischen Ehepaares Hermann und Friederike Hirschfeld geboren, strebte er den Beruf des Vaters an und wurde 1892 mit einer Arbeit über „Erkrankungen des Nervensystems im Gefolge der Influenza“ zum Arzt promoviert. Einige Jahre später ließ er sich zunächst in Magdeburg als Arzt für Naturheilverfahren nieder, um 1896 nach Berlin-Charlottenburg überzusiedeln und seine Praxis in psychotherapeutische Richtung auszuweiten. Er selbst bezeichnete sich etwa ab 1910 als „Spezialarzt für nervöse und seelische Leiden“. Über seine eigene Homosexualität ist wenig bekannt. In einer Würdigung Hirschfelds schreiben Herzer/Steakley: „Die Behauptung, daß er schwul sei, taucht seit 1907 vereinzelt in gegen ihn gerichteten Pamphleten und Artikeln zumeist von antisemitischer Seite auf. Er selbst hat dazu niemals Stellung genommen, ein Eingeständnis der eigenen Homosexualität hätte mit Sicherheit ein Berufsverbot zur Folge gehabt, zudem wäre sein Einfluß in der heterosexuellen Öffentlichkeit zu ähnlicher Bedeutungslosigkeit herabgesunken, wie dies etwa bei Adolf Brand und Friedrich Radszuweit (beides Aktivisten der homosexuellen Bürgerrechtsbewegung vor 1933 – Anm. d. Verf.) der Fall war.“

Ob der Prozeß gegen den homosexuellen englischen Dichter Oscar Wilde (1895) und dessen Verurteilung zu zwei Jahren Gefängnis mit Zwangsarbeit der Auslöser für Hirschfelds Kampf gegen den deutschen Paragraphen 175 war, kann nur vermutet werden. Er veröffentlichte einen Protest gegen dieses Justizverbrechen und zwei Jahre später eine erste Broschüre, „Sappho und Sokrates“ überschrieben, in der er gegen den Paragraphen Stellung bezog und auch die Grundzüge seiner Theorie der Homosexualität „mit allen ihren Vorzügen und Schwächen“ (Herzer/Steakley) darlegte. Eine der ersten Aktionen des Komitees bestand in der Verbreitung einer Petition zur Abschaffung des Paragraphen 175. Er sei, so hieß es darin, „unvereinbar mit der fortgeschrittenen wissenschaftlichen Erkenntnis“. Gleichgeschlechtliche Akte seien den hetereosexuellen Akten juristisch gleichzustellen und nur dann zu bestrafen, „wenn sie unter Anwendung von Gewalt, wenn sie an Personen unter 16 Jahren, oder wenn sie in einer ‚öffentliches Ärgernis‘

Umfrage
für eine wissenschaftliche Untersuchung.

Für eine wissenschaftliche Untersuchung, welche ich über die ebenso wichtige wie schwierige Frage der Bisexualität (auf beide Geschlechter sich erstreckender Liebes- bezw. Geschlechtstrieb) anzustellen beabsichtige, bitte ich unsere Freunde um gütige Unterstützung.

Vor allen Dingen liegt mir an streng wahrheitsgemäßen und gut durchdachten Auskünften. Namennennung nicht erforderlich.

Unter I bitte ich, gleichviel ob Sie heterosexuell, homosexuell oder bisexuell sind, eine Schilderung des Typus zu geben, zu welchen Sie sich hingezogen fühlen, wie also der oder die Betreffende in Aussehen, Charakter, Alter etc. beschaffen sein soll (populär ausgedrückt, „was Ihr Fall ist").

Unter II bitte mitzuteilen, ob Sie sich zu beiden Geschlechtern geschlechtlich hingezogen fühlen, oder gefühlt haben (wann?), welcher Typus Ihnen beim weiblichen Geschlecht und welcher Ihnen beim männlichen Geschlecht besonders anziehend ist.

Unter III ob die Zuneigung zu beiden Geschlechtern gleich stark oder zu einem von beiden stärker ist, in welchem Verhältnis Sie sich zu dem einen und anderen hingezogen fühlen (also z. B. etwa 75% zum Weib, 25% zum Mann, oder beide gleich etc.).

Unter IV. Handelt es sich in beiden Fällen um eine wirklich vorhandene Zuneigung seelischer und sinnlicher Natur oder liegt nur die Möglichkeit vor, den Akt auszuführen. Woran erkannten Sie, ob es sich um Gefühle der Freundschaft oder um Liebesempfinden handelte. (Wie unterscheiden Sie also Freundschaft und Liebe?). Hat Betätigung mit beiden Geschlechtern stattgefunden, so bitte anzugeben, ob die Empfindungen vor, während und nach dem Verkehr die gleiche war oder verschiedener Art; in welcher Weise verschieden (z. B. küßten Sie beide Geschlechter gleich gern?).

Unter V ob Sie verheiratet sind; Kinder haben; ob Ihre Frau Ihren Zustand kennt; wie sie ihn beurteilt; ob die Kinder gesund sind.

Unter VI. Welche Erfahrungen Sie bei anderen in Bezug auf die Bisexualität gemacht haben, wobei ich die Möglichkeit der Betätigung und die wirkliche Liebesneigung zu beiden Geschlechtern zu unterscheiden bitte.

Die Antworten erbitte umseitig, eventuell unter Benutzung von Anlagen, möglichst eingehend und bald.

Auch Beantwortung einzelner Fragen ist willkommen.

Für Ihr freundliches Mitwirken verbindlichst dankend

Charlottenburg, 31. August 1905.

Dr. med. Hirschfeld.

erregenden Weise (d. h. verstoßend gegen den § 183 des Reichsstrafgesetzbuches) vollzogen werden".

Diese Petition wurde nach und nach von 3000 Ärzten, 750 Direktoren und Lehrern höherer Lehranstalten, von vielen Professoren und den meisten der damals bekannten Schriftsteller, Dichter und Künstler unterschrieben, darunter Gerhart Hauptmann, Rainer Maria Rilke, Ernst von Wildenbruch, Detlev von Liliencron, Karl Kautsky, Henry Mackay, Liebermann, Leistikow, Kaulbach und Stuck. „Der Erfolg war überraschend und hocherfreulich", schrieb Hirschfeld rückblickend in seinen Erinnerungen. „Von den führenden Geistern im damaligen Deutschland schloß sich der größere Teil unseren Forderungen an." Versehen mit diesen Unterschriften wurde die Petition noch 1897 dem Reichstag übergeben.

Besonders hervorzuheben ist dabei die unterstützende Tätigkeit August Bebels (1840–1913). Dazu Magnus Hirschfeld: „Als ich Bebel im Sommer 1897 auf seine Aufforderung hin in Schöneberg besuchte, teilte er mir mit, daß ihm der Gegenstand unserer Petition sehr wichtig erscheine, daß er den Entschluß gefaßt habe, die Frage vor versammeltem Hause selbst vorzubringen." Für das kleine Kommitee bedeutete dies einen großen Erfolg. Über den Mitbegründer und Vorsitzenden der Sozialdemokratischen Partei berichtet Hirschfeld weiter: „Da er nicht Medizin studiert hatte, sich demnach nicht von vornherein als Sachverständiger für alles ansah, was Leib und Seele des Menschen betrifft, stützte er seine Kenntnisse nicht auf Homosexuelle, die zufälligerweise zu ihm kamen, sondern suchte sie wie ein echter Forscher an ihren Sammelpunkten auf, hörte unvoreingenommen an, wie sie ihr Tun und Lassen erklärten, was sie zu ihrer Rechtfertigung vorbrachten und vertiefte sich dann in die einschlägige Literatur." In der gesamten Geschichte der Homosexuellen ist dies der einzige überlieferte Fall, daß der Vorsitzende einer großen Partei sich persönlich und „vor Ort" über die Situation Homosexueller informierte. Zahlreich dagegen sind jene Fälle, in denen bekannte Politiker oder andere Prominente sich *als Homosexuelle* an den „Sammelpunkten" aufhielten – ohne jemals irgend etwas zur Verbesserung der gesellschaftlichen Situation ihrer Mit-Homosexuellen getan zu haben.

Bebel half dem Komitee, die Petition durch die Fährnisse der Reichstagsbürokratie zu lancieren, und begründete sie auch am 13. Januar 1898 vor dem Plenum des Hauses. Dabei wies er im besonderen darauf hin, daß im Falle des 175 StGB die Lücke zwischen Rechtsanspruch und -wirklichkeit besonders kraß auseinderfalle. „Wenn hier die Polizei pflichtgemäß ihre Schuldigkeit täte", führte es aus, „würde der preußische Staat sofort gezwungen, allein, um das Verbrechen gegen § 175, soweit es in Berlin begangen wird, zu sühnen, zwei neue Gefängnisanstalten zu bauen." Tatsächlich kam das WhK später für die Jahre 1902 bis 1910 zu dem Ergebnis, daß von durchschnittlich 486000 strafmündigen Homosexuellen nur durchschnittlich 319 bestraft wurden.

Erstmalig wurde einer größeren Öffentlichkeit durch Bebels Rede auch die Existenz von „Rosa Listen" bekannt. Die Bezeichnung setzte sich nach der NS-Zeit durch. In ihnen wurden von der Polizei die Namen Homosexueller geführt – ohne sie freilich in jedem Fall an die Staatsanwaltschaft weiterzuleiten. Geschehe dies, so Bebel, „dann gäbe es einen Skandal, gegen den der Panamaskandal, der Dreyfußskandal ... das reine Kinderspiel" seien. Er spielte dabei auf die Listen des Berliner Polizeichefs von Meerscheidt-Hüllessem an, in denen sich illustre Namen der feinen wilhelminischen Gesellschaft befanden. Bebels Hauptargument: „Kann das Strafgesetz aber aus irgendwelchen Gründen nicht gehandhabt werden, wird es nur ausnahmsweise gehandhabt, dann entsteht die Frage, ob die Strafbestimmung aufrecht erhalten werden kann."

Bebels Begehren – er selbst hatte die Petition ebenfalls unterzeichnet – provozierte vor allem konservative und christliche Gemüter. „Handelt es sich doch hier", betonte der Abgeordnete Pastor Schaller in seiner Gegenrede, „um ein Verbrechen, welches bereits der Apostel Paulus als eine der schlimmsten Versündigungen und Laster des alten Heidentums im Brief an die Römer im ersten Kapitel hingestellt hat, dessentwegen das alte Heidentum dem verdienten Untergang verfallen sei". Träfe es zu, was Bebel ausgeführt habe, würde Schallers Pastoren-Partei alles unternehmen, „um auf dem Wege des Gesetzes diesen unnatürlichen Lastern, Vergehen und Verbrechen entgegenzutreten durch solche Strafen, welche der Natur dieser Verbrechen nach christlich-sittlichen Grundsätzen entsprechen und zugleich ihre volle, rücksichtslose Durchführung in der Praxis der Polizei und der Rechtspflege ermöglichen und garantieren". Ob mit den „christlichen Grundsätzen" eine Reaktivierung der Scheiterhaufen gemeint war, ging aus der Rede nicht hervor. Die Petition wurde in die Ausschüsse verwiesen und zum letztenmal am 4. Dezember 1907 im Plenum verhandelt – wiederum ohne Erfolg.

Zu diesem Zeitpunkt allerdings hatte sich die öffentliche Meinung bereits durch eine Reihe von Skandalen gegen die homosexuelle Minderheit gewendet, so daß das WhK alle Hände voll zu tun hatte, um eine *Verschärfung* des Paragraphen zu verhindern. Krupp auf Capri löste den ersten Skandal dieser Art aus. Friedrich Krupp, Freund des Kaisers und Chef des mächtigsten deutschen Rüstungskonzerns, ging auf Capri recht offen seinen homosexuellen Neigungen nach, so offen, daß selbst die rücksichtsvolle italienische Polizei nicht mehr bereit war, die Sache zu übersehen. Es erfolgte Anzeige. Man sprach von Ausweisung, und einige Tage später enthüllte die katholisch-klerikale „Augsburger Postzeitung", daß „der Fall mit dem Namen eines Großindustriellen von bestem Klang zu tun hat, der mit dem kaiserlichen Hof eng verbunden ist". Namen wurden nicht genannt. Das tat mutig das SPD-Blatt „Vorwärts". „Krupp auf Capri" lautete am 15. November 1902 die Überschrift eines Artikels, der das Reich wie ein Kanonenschlag erschütterte.

Der Fall, so hieß es darin, gehöre an die Öffentlichkeit, „da er nicht nur ein kapitalistisches Kulturbild krassester Färbung bildet, sondern vielleicht auch den Anstoß gibt, endlich jenen Para(graph) 175 aus dem deutschen Strafgesetzbuch zu entfernen, der nicht nur das Laster trifft, sondern auch unglückselige Veranlagung sittlich fühlender Personen zu ewiger Furcht verdammt und sie zwischen Gefängnis und Erpressung in endloser Bedrohung festhält". Verwiesen wurde darauf, daß die SPD bereits im Reichstag mehrfach vergeblich auf eine Reform des 175 gedrängt habe, jetzt müsse er entweder fallen oder die Staatsanwaltschaft eingreifen: „Denn solange Herr Krupp in Deutschland lebt, ist er den Strafbestimmungen des § 175 verfallen." Daran gab es nichts zu rütteln. Die Rechtslage war eindeutig – die Machtlage ebenfalls.

Kaum hing die „Vorwärts"-Ausgabe an den Kiosken, setzten Staatsanwaltschaft und Polizei auch schon zu einer massiven Verfolgung der Sozialdemokratie an. Man beschlagnahmte alle auffindbaren Exemplare der Ausgabe, durchsuchte die Wohnungen von Abonnenten, veranstaltete eine wilde Jagd auf heimliche Verteiler der Ausgabe und durchsuchte – allen gesetzlichen Vorschriften zum Trotz – selbst die Parlamentsbüros sozialdemokratischer Reichstagsabgeordneter. Zugleich leitete die Berliner Staatsanwaltschaft gegen den verantwortlichen Redakteur des Oppositionsblattes ein Strafverfahren ein und drohte Ähnliches allen übrigen Zeitungen an, falls sie es wagten, über die Homosexualität des Kaiser-Freundes zu berichten. Der Fall Krupp schien sich zu einer schweren Niederlage für die SPD zu entwickeln. In der Parteizentrale rechnete man bereits mit einer Neuauflage der Bismarckschen Sozialistengesetze, das heißt mit Verbot und Auflösung der Partei, Verhaftung von Funktionären und Abgeordneten, Vermögensbeschlagnahme und Gesinnungsterror. Tatsächlich waren, wie Bernt Engelmann in seiner Darstellung „Krupp. Legende und Wirklichkeit" berichtet, alle diese Maßnahmen bereits vorgesehen.

Doch Krupp starb am 22. November 1902 durch Selbstmord oder Hirnschlag. Das Establishment lastete seinen Tod den „perfiden roten Verleumdern" an. Seine Majestät der Kaiser redete am offenen Grabe von einer „unserem ganzen Volk angetanen Schmach" und fragte wissend zugleich: „Wer war es, der diese Schandtat an unserem Freunde beging? Männer, die bisher als Deutsche gegolten haben, jetzt aber dieses Namens unwürdig sind, hervorgegangen aus den Klassen der deutschen Arbeiterbevölkerung, die Krupp ebenso unendlich viel zu verdanken hat..." Die Doppelmoral der Oberschicht war gerettet, der Paragraph 175 bestand fort.

Nur sechs Jahre später traf es wieder einen Freund des Kaisers; diesmal einen besonders guten, den Fürsten Philipp zu Eulenburg und Hertefeld. Seit zwanzig Jahren schon galt „Philli" als der engste Vertraute Wilhelms II. Als er am 8. Mai 1908 wegen Verdachts homosexueller Betätigung verhaftet wurde, standen die moralischen Säulen des Reichs kopf. Die Affäre war durch mehrere Artikel des Publizisten Maximilian von Harden ausgelöst worden. Ihre Ursprünge allerdings lagen viele Jahre zurück und hatten vermutlich ihre Wurzeln in jenen politischen Verhältnissen, die 1890 zur Entlassung Otto von Bismarcks geführt hatten. Jedenfalls sagte Harden unter Eid aus: „Fürst Otto von Bismarck und sein Sohn Herbert haben das Wirken Eulenburgs namentlich auf dem Gebiet der Personalien und in der Rolle eines befreundeten unverantwortlichen Ratgebers (des Kaisers – Anm. d. Verf.), für unheilvoll gehalten und wiederholt auch von einer geschlechtlich abnormen Veranlagung Eulenburgs gesprochen ..."

Derlei Gerüchte über abnorm Geschlechtliches wurden vom Grafen Holstein, graue Eminenz im Auswärtigen Amt, eben gestützt und seines einflußreichen Amts verlustig gegangen, durch skandalträchtiges Material aktualisiert. Danach sollte nicht nur Eulenburg homosexuell sein, sondern auch die ganze „Liebenberger Tafelrunde", alles hochgestellte Herren des Reichs, Berater und Freunde Seiner Majestät, die sich zuweilen auf dem Landsitz des Fürsten Eulenburg in Liebenberg trafen. Auch der Kaiser weilte gelegentlich in dieser Runde, wobei es schon einmal vorkam, daß Graf Hülsen-Haeseler, Chef des Militärkabinetts, aus diesem freudigen Anlaß als Primaballerina im rosa Ballettröckchen auftrat.

Nicht wenige Namen dieser erlauchten Gesellschaft fanden sich, mit oder ohne Fragezeichen, in jenen „Rosa Listen" wieder, die einige Jahre zuvor vom Berliner Polizeipräsidenten zusammengestellt worden waren. Ob sie in die Hände von Holsteins gekommen waren, ist unbekannt. Immerhin steht fest, daß die Angriffe nach Holsteins Demission begannen und Harden von einer „Kamarilla" schrieb, die den Kaiser umgab und ihn angeblich gegen Einflüsse anderer Cliquen abschirmte.

Eulenburg parierte den Angriff geschickt, stellte Strafantrag gegen sich selbst und brachte damit Harden in Beweisnot. Der Publizist wurde wegen Verleumdung zu vier Monaten Gefängnis verurteilt. Das Verfahren gegen Eulenburg wurde eingestellt. Zunächst schien alles im Sande zu verlaufen. Doch fast zwei Jahre später fand sich ein ehemaliger Fischer vom Starnberger See, der beschwor, vor zwanzig Jahren für 1500 Mark mit Eulenburg „die Kamarilla" gemacht zu haben. Nun rollte das Verfahren wieder, und jetzt las der Kaiser auch in den ihm (wieder) vorgelegten „Rosa Listen" und stellte fest: „Eulenburg, Hohenau, Kuno Moltke habe ich jetzt als pervers erkannt. Sie sind für mich erledigt.. Hier muß vor aller Welt und unnachsichtig ein moralisches Exempel statuiert werden!"

Das geschah augenblicklich. Die Männerfreundschaften von Liebenburg zerbrachen, S.M. distanzierte sich, gegen Philli wurde Haftbefehl erlassen. Da der Fürst ein Attest über Nervenzerrüttung beibrachte, erließ man ihm die gewöhnliche Untersuchungshaft und internierte ihn in der Charité, dem staatlichen preußischen Krankenhaus. Zum Prozeß, er begann am 29. Juni 1908, erschien der wegen Meineids und Verstoß gegen den Paragraphen 175 angeklagte Vater von acht Kindern effektvoll auf einer Tragbahre. Knappe drei Wochen später wurde die Verhandlung „wegen des schlechten Gesundheitszustands" Eulenburgs vertagt und im September 1908 auf weiteres ausgesetzt. Das Verfahren wurde nie wieder aufgenommen. Später sagte der kaiserliche Hofmarschall Zedlitz-Trützschler über die Affäre: „Wie unendlich haben wir uns doch blamiert."

Nie zuvor hatte Homosexualität in der breiten Öffentlichkeit so ein negatives Echo wie in jenen Jahren. Für die Presse gab es unentwegt Neues aus dem „Reich der Urninge" zu berichten. Zu den Affären um Krupp und Eulenburg kam ein Dutzend weiterer hinzu, die wiederum endlose Verleumdungsklagen, Prozesse wegen Meineids und Mißbrauch der Dienstgewalt nach sich zogen. Fast alle der Beteiligten gehörten der herrschenden Klasse an, und im Ausland wurde Homosexualität bereits als „le vice allemand", als deutsches Laster, eingestuft. Im Volk führten die Prozeßketten „zu wahren Wutparoxysmen gegen die Homosexuellen", stellte Hirschfeld fest. Und was die ersten Erfolge des Emanzipationskampfes betraf, so glaubte er, daß „nach den großen Prozessen alles Errungene wieder zusammenzustürzen schien". Wie sehr „die öffentliche Meinung sich in der homosexuellen Frage labil, unsicher, ihrer selbst ungewiß gezeigt hat" (Hirschfeld), zeigte sich beispielhaft in der Berichterstattung des renomierten „Hamburger Fremdenblattes". Noch während der Krupp-Affäre hatte die Zeitung die Beseitigung des Paragraphen 175 gefordert, um dann unter dem Eindruck der Eulenburg-Prozesse Homosexualität als „Rückfall in die Barbarei", als „Hundemoral" zu klassifizieren und eine Verschärfung der Gesetze zu verlangen. Das deutsche Volk, besonders seine „höheren Schichten", so hieß es in anderen Blättern, „entarte" zunehmend, der Staat müsse sich stärker als bisher dagegen schützen.

Vor diesem Hintergrund erstarkte eine militante Strömung in der homosexuellen Bürgerrechtsbewegung. Sie forderte eine neue Strategie. Danach sollten auch jene Homosexuellen in den Kampf gegen den Paragraphen 175 einzubezogen werden, die kraft ihrer Stellung in Parteien, im Kabinett oder gar bei Hofe den Zielen der Bewegung nützlich sein konnten. Gerade diese Schicht der Homosexuellen aber hatte sich bisher, wohl aus Gründen der Karriere und des Standes, stets zurückgehalten, wenn es darum ging, die Zwecke der Bewegung durch Geld und Know-how zu unterstützen. Auch wenn diese „Prominenten" sich (selbst vor anderen Homosexuellen) alle erdenklichen Tarnungen zulegten, um ihre Identität zu schützen, so blieben auch sie auf die „Szene" angewiesen, und irgendwann spukte das Gerücht über ihre sexuelle Orientierung in den schwulen Lokalen und privaten Zirkeln herum. Sie zum Zweck der Emanzipation aller unter Druck zu setzen und ihre Namen gegebenfalls auch der Öffentlichkeit preiszugeben („Der Weg über Leichen"), diese Strategie wurde nun heftig debattiert. Allein die Diskussion löste Panik bei den „hochgestellten Homosexuellen" aus. Hirschfeld: „Zitternd und schlotternd kamen sie zu mir und beschworen mich, meinen ganzen Einfluß gegen diese extreme Richtung geltend zu machen."

Hirschfeld und das WhK lehnten diese „Richtung“ zwar ab, dennoch hatte das WhK-offiziöse „Jahrbuch für sexuelle Zwischenstufen“ bereits 1903 die kaiserlichen Urninge gewarnt: „Mögen die Herren bedenken, in welche Unannehmlichkeiten sie nicht nur sich selbst, sondern auch den Kaiser durch einen sie betreffenden Skandal bringen, vor dem, wie leider die Fälle Hohenau und Krupp gezeigt haben, selbst die dem Thron zunächst stehenden nicht gesichert sind.“ Aber auch Hirschfelds moderate Warnungen und dezente Appelle zur Mitarbeit hatten wenig gefruchtet. Im Gegenteil. Die „homosexuellen Herren bei Hofe“ schienen sich so zu verhalten, als gäbe es keinen Paragraphen, und betraten die Räume des WhK höchstens dann auf eigenen Füßen, wenn ihnen das Wasser bis zum Halse stand. Ein besonders grotesker Fall, der des „Prinzen X.“, den Hirschfeld als einen „der reichsten Magnaten Deutschlands“ beschrieb: Eines Morgens tauchte er persönlich und mit 25000 Mark in der Hand im WhK auf. Er bat händeringend, man möge einen Erpresser beschwichtigen, der ihm sehr häßliche Briefe geschrieben hätte und jene Summe fordere. Das Komitee regelte die Sache, so daß der Erpresser „ganz klein ins Mauseloch kroch“ und die 25000 Mark wieder auf das Konto seiner Durchlaucht gelangten. Der Prinz fand viele Worte des „vorläufigen“ Dankes und ließ „nachläufig“ dem WhK ein Schreiben zukommen, dem 100 Mark beigelegt waren: zum Dank für das „geschickte Vorgehen“ und zur Förderung „der humanitären Bestrebungen“ des Komitees. Trotz chronischen Geldmangels schickte das WhK die Summe augenblicklich zurück in das Palais.

Daß sogar homosexuelle Reichstagsabgeordnete für die Beibehaltung des Paragraphen 175 stimmten, erregte ganz besonders den Zorn der Emanzipationsbewegung. Der Trierer Zentrumsabgeordnete Kaplan Dasbach, selbst mehrfach in Verfahren verwickelt, welche ihn nur knapp einer Verurteilung wegen Homosexualität entgehen ließen, votierte vor dem Ersten Weltkrieg ebenso gegen eine Abschaffung des Gesetzes wie sein Aachener Parteikollege B., über den Hirschfeld schrieb: „Tagsüber ganz päpstlicher Kammerherr und Deputierter, ganz Würde und peinliche Gewissenhaftigkeit, streifte er, wenn es Abend wurde, mit den Würden auch die Würde ab, um mit seinem Freunde E. in das homosexuelle Berlin unterzutauchen und überall dort aufzutauchen, wo man sich nachts traf und vergnügte." Das ging einige Jahre gut, und der päpstliche Herr B. hatte sich längst an den Namen „die schwarze Ida" gewöhnt, mit dem ihn boshafter Tuntenmund in der Szene bedachte. Doch eines Tages drang die böse Nachricht in die Zentrumsfraktion, daß sich unter die schwarze Reichstagsmannschaft auch eine „schwarze Ida" gemischt hätte. Der Fraktionsvorstand konsultierte sogleich das WhK und verlangte Auskunft, ob der Abgeordnete B. und „die schwarze Ida" tatsächlich identisch seien. Hier schwieg man, aus Prinzip. Schluchzend erschien zwei Tage später ein älterer Herr in den Räumen der Bürgerrechtsorganisation: „Ich bin es", brachte er unter Tränen hervor, „den man die schwarze Ida nennt." Sein Anliegen: Das Komitee möge ihn nicht verraten und zugleich dem Parteivorstand eine schriftliche Erklärung abgeben, daß er und die „schwarze Ida" zwei verschiedene Personen seien! Das mochte zwar in einem gewissen soziologischen Sinne durchaus zutreffend gewesen sein, dennoch verweigerte ihm das WhK diesen Wunsch – wiederum aus grundsätzlichen Erwägungen. Bei den nächsten Reichstagswahlen kandidierte B. dann nicht mehr. Er zog sich in den Vatikan zurück.

Die Klage über mangelnde Unterstützung der Bürgerrechtsbewegung „durch die eigenen Leute" wiederholte sich ständig in den Schriften der Aktivisten. Was die Probleme der Emanzipation anbetraf, so mochten die Berliner Polizeipräsidenten mitunter durchaus mehr Verständnis dafür aufzubringen als das Gros der Homosexuellen selbst. „Es gibt keinen Emanzipationskampf, der solche Schwierigkeiten hat, wie der Emanzipationskampf der Homosexuellen", stellte Dr. Kopp, seit 1. Januar 1911 Chef der Berliner Polizei, in einem aufklärenden Referat vor Studenten einfühlsam fest. Stets lobte das WhK den „humanen und wissenschaftlichen Geist", der im Berliner „Dezernat für homosexuelle Angelegenheiten" herrschte. Dort verwalteten sieben Beamte im Außen- und drei im Innendienst dezent eine spezielle Karthotek, in der bis zum Ausbruch des Krieges etwa 20000 bis 30000 Namen von Homosexuellen enthalten waren. „Sollte es einmal zu einer Beseitigung des § 175 kommen", schrieb Hirschfeld über drei einander im Amt folgende Berliner Polizeipräsidenten, „so würde dies der verdienstvollen praktischen Tätigkeit der Trias hervorragender Berliner Kriminalisten auf diesem Gebiete, von Meerscheidt-Hüllessem, v. Tresckow und Dr. Knopp nicht minder zu danken sein, wie denjenigen Männern, die durch wissenschaftliche Arbeit und Aufklärung dieses Ziel zu erreichen bestrebt waren". Das mochte erstaunlich klingen, doch gerade die Erfahrung mit den verheerenden Folgen des Paragraphen 175 hatte diese Beamten zu Befürwortern seiner Aufhebung gemacht.

Hirschfeld, der sein ganzes Leben der Emanzipation und den Bürgerrechten der Homosexuellen widmete, zweifelte in seinem monumentalen Werk „Die Homosexualität des Mannes und des Weibes" (1914) daran, daß es zu einem Massen-Engagement der Homosexuellen für ihre Rechte kommen könnte. Beispielhaft deutlich wurde dies an seiner Beurteilung jener Anträge zur „Massen-Selbstdenunziation", die das WhK wiederholt zu behandeln hatte. Ziel solcher Aktionen, bei denen sich 1000 Homosexuelle bei der Staatsanwaltschaft wegen Verstoßes gegen den Paragraphen 175 selbst denunzieren, aber gleichzeitig nähere Angaben über Partner, Zeit und Ort verschweigen sollten, war es, die Absurdität des Paragraphen bloßzustellen. Die Idee fand Hirschfeld zwar richtig, doch zweifelte er stets daran, daß viel mehr als eine Handvoll Homosexueller bereit wäre, „ein solches Bekenntnisopfer" zu bringen. Der Grund für seine Ablehnung: „Der Vorschlag übersieht eins: die Urningspsyche; durch sie wird der Gedanke utopisch und illusorisch. Denn die äußeren und inneren Hemmungen sind viel zu stark, als daß eine nennenswerte Anzahl im sozialen Leben (sic!) stehender Urninge es über sich gewinnen könnte, sich frei und offen als homosexuell zu bekennen." Tatsächlich setzte, allen verbalradikalen Äußerungen jener Zeit zum Trotz, erst die Aktion der bundesdeutschen Illustrierten „Stern" diesen Vorschlag 1978 in die Tat um.

Das WhK konzentrierte sich währenddessen weiter auf die wissenschaftliche Erforschung der Homosexualität und entfaltete „eine methodische Aufklärungsarbeit großen Stils" (Hirschfeld). Broschüren und Aufklärungsschriften wurden zu Hunderttausenden an die Presse, an sämtliche deutschen Justizministerien, Staatsanwälte, Richter, Anwaltskammern, Rechtsanwälte, Ärzte, Universitätsprofessoren, an viele Geistliche und Lehrer verschickt. Die wissenschaftliche Erforschung fast aller Aspekte der Homsexualität schlug sich vor allem in den vom WhK herausgegebenen „Jahrbüchern für sexuelle Zwischenstufen" nieder. Sie erschienen zwischen 1899 und 1923 in 23 Bänden und umfaßten zusammen mehr als zehntausend Seiten. Durch mühselige Überzeugungsarbeit gelang es, namhafte Wissenschaftler von seiner Devise „Weder Krankheit noch Verbrechen" zu überzeugen und damit die Behauptung, Homosexualität sei ein strafwürdiges Laster, in großen Teilen der etablierten Wissenschaft und der öffentlichen Meinung zurückzudrängen. Eine erste, vom WhK durchgeführte empirische Untersuchung über die Verbreitung der Homosexualität ergab Anfang des Jahrhunderts, daß 3,2 Prozent der Bevölkerung bisexuell und 2,2 Prozent homosexuell seien – eine wissenschaftliche Feststellung, die – kaum veröffentlicht – den Straftatbestand der „Verbreitung unzüchtiger Schriften" provozierte.

Die konzentrierte Aufklärungsarbeit entsprach ganz der Empfehlung, die der Chef des Reichsjustizamtes, Staatssekretär Nieberding, kurz nach der Gründung des Komitees Magnus Hirschfeld 1897 gegeben hatte. Nieberding zu Hirschfeld: „Bevor das Volk nicht weiß, daß es sich hier um eine ethische Forderung handelt, nicht um eine sexuelle oder wissenschaftliche Marotte, kann die Regierung nichts in dieser Sache tun. Klären Sie die öffentliche Meinung auf, damit man weiß, worum es sich handelt, wenn die Regierung auf diesen Paragraphen verzichtet." Das war eine klare Anspielung auf jenes „Rechtsbewußtsein im Volke", womit seinerzeit die reichseinheitliche Einführung des 175 amtlich begründet wurde.

Die Motive zur Aufrechterhaltung des Paragraphen 175 lagen aber durchaus nicht im „Rechtsbewußtsein im Volke" allein begründet. Das Volksempfinden gegenüber den Homosexuellen charakterisierte Hirschfeld wohl ganz zutreffend, wenn er meinte, es sei „vielmehr auf spottende Ironie als auf fanatischen Groll gestimmt und eingestellt." Wesentlich ausschlaggebender dürfte dagegen das „unmittelbare Staatsinteresse" gewesen sein, wie es auch deutlich im Entwurf für ein neues deutsches Strafrecht 1909 benannt wurde. Die Existenz eines solchen Staatsinteresses allerdings verschwieg der Staatssekretär seinem homosexuellen Gast. Vielmehr suggerierte er einen platten Mechanismus von Volksaufklärung und obrigkeitlichem Reformwillen, der die überwiegenden Gründe für die Aufrechterhaltung des Paragraphen nur peripher berührte.

Im „Vorentwurf zu einem deutschen Strafgesetzbuch" des Jahres 1909 (E 1909) wurden dagegen jene staatlichen Interessen bei der Einführung des reichseinheitlichen Paragraphen deutlich angesprochen, wenn es dort hieß: „Diese staatlichen Interessen haben zur Einführung des gegen die widernatürliche Unzucht gerichteten § 175 in das StGB geführt." Die Kontinuität dieser staatlichen Interessen bestand von 1871 an ununterbrochen fort. „Die Tatbestände des § 175 entsprechen nicht nur auch jetzt noch der gesunden Volksanschauung", wurde im E 1909 sicher nicht nur zur Überraschung des wissenschaftlichen Volksaufklärers Hirschfeld festgestellt, „sondern sie dienen auch vor allem dem Interesse der Allgemeinheit, dem unmittelbaren Staatsinteresse. Die widernatürliche Unzucht, insbesondere zwischen Männern, ist eine Gefahr für den Staat, da sie geeignet ist, die Männer in ihrem Chrakter und in ihrer bürgerlichen Existenz auf das schwerste zu schädigen, das gesunde Familienleben zu zerrütten und die männliche Jugend zu verderben."

Diese staatliche Interessenlage war es denn auch, die durch die erfolgreiche Aufklärungsarbeit des WhK seit 1897 zunehmend verletzt wurde. Staatliche Interessen und gesellschaftliche Akzeptanz einer sexuellen Minderheit schlossen sich demnach aus. Vor diesem Hintergrund mochten die Skandale um die homosexuellen kaiserlichen Freunde Krupp, Eulenburg & Co. und die daraus entstandene „urningsfeindliche" öffentliche

Meinung dem Gesetzgeber durchaus gelegen kommen, um in der geplanten Reform des Strafgesetzbuches auch eine Verschärfung des Paragraphen 175 unterzubringen und damit eine ‚Nachbesserung' der staatlichen Interessen vorzunehmen. „Es liegt also im dringenden Interesse des Staates", so wurde im E 1909 weiter argumentiert, „dem Umsichgreifen dieser Art der Unzucht auch weiterhin energisch entgegenzutreten und auch dem Bestreben, sie als eine berücksichtigenswerte bloße physische und psychische Anomalie hinzustellen, durch Aufrechterhaltung des Strafverbots Grenzen zu stecken."

Dem wissenschaftlichen Aufklärer Hirschfeld mögen solche Töne schrill im Ohr geklungen haben. Denn nicht nur das WhK, sondern auch ein erheblicher Teil der etablierten Wissenschaft mußte sich durch diese Passagen unmittelbar angesprochen fühlen, hatten sie doch mit der These von der „bloßen physischen und psychischen Anomalie" in der Öffentlichkeit für die Aufhebung des Paragraphen geworben. Ihren Anschauungen bereiteten die Verfasser des E 1909 eine glatte politische Abfuhr. „Die in der neuesten Zeit mehrfach betonte Auffassung", so der Wortlaut des Entwurfs weiter, „als handele es sich bei der gleichgeschlechtlichen Unzucht um einen unwiderstehlichen krankhaften Naturtrieb, der die strafrechtliche Zurechnungsfähigkeit aufhebe oder doch bedeutend vermindere, lehnt der Entwurf als unbewiesen und mit den Erfahrungen des praktischen Lebens im Widerspruch stehend ab." Praktisches Leben und wissenschaftliche Erkenntnis schlossen sich somit in diesem Fall aus.

Mochte mancher Zeitgenosse vermuten, daß die Skandale und Affären in den „höheren Ständen" die geplante Verschärfung des Paragraphen ursächlich ausgelöst hatten, so mußte die im Entwurf vorgesehene Ausdehnung des Straftatbestandes auf Frauen ihn eines Besseren belehren. Homosexuelle Frauen hatten mit den Skandalen des wilhelminischen Reiches nun wirklich nichts zu tun. Aber auch sie gerieten jetzt in das sexualpolitische Schußfeld des Gesetzgebers. Denn: „Die Gefahr für das Familienleben und die Jugend ist die gleiche. Daß solche Fälle in der Neuzeit sich mehren, ist glaubwürdig bezeugt. Es liegt daher im Interesse der Sittlichkeit wie der allgemeinen Wohlfahrt, daß die Strafbestimmungen auch auf Frauen ausgedehnt werden." Mochten sich homosexuelle Frauen in ihrem Selbstverständnis auch zuweilen vehement von ihren männlichen Schicksalsgenossen abgrenzen – für die Gesetzesplaner des E 1909 spielte der „kleine Unterschied" keine Rolle. Bezeichnend für die politische Intention des Gesetzgebers blieb denn auch jene Wendung im Entwurf, die eine Zunahme der weiblichen Homosexualität konstatierte. Hatten homosexuelle Frauen eben damit begonnen, öffentlich gegen ihre Diskriminierung Front zu machen, so sollte auch diesem gesellschaftspolitischen „coming out" durch eine Ausdehnung des Paragraphen 175 gleich mit die Spitze genommen werden.

Das von den Entwurfs-Juristen beklagte „Umsichgreifen der Unzucht", gleich ob dieses sich nun in einer männlichen oder weiblichen Form offenbarte, stellte in Wirklichkeit nichts anderes dar, als das Ergebnis organisierten Handelns homosexueller Interessenverbände – vor allem des WhK. Nicht die Zahl der Homosexuellen hatte zugenommen, sondern lediglich ihr Selbstverständnis. Indem sich Homosexuelle eigene Organisationen geschaffen hatten, den Kampf gegen Kriminalisierung und Ächtung aufnahmen und in der Öffentlichkeit „lebhafte Agitation"(E 1909) für ihre gesellschaftliche Integration betrieben, provozierten sie zugleich den Vorwurf der Ausbreitung und Beförderung der „Unzucht", sowie der Verführung der Jugend. Begünstigt durch das historische Wirken der bürgerlichen Aufklärung und den Niedergang des mittelalterlichen Religions- und Wissenschaftsverständnisses, fand dieses „coming-out" mit der „Agitation" der ersten homosexuellen Verbände auch seinen erstem demokratischen Ausdruck.

Die Arbeit der Bürgerrechtsorganisation zielte notwendigerweise und stets in zwei Richtungen: Zum einen auf die Beseitigung der Ursachen der Verfolgung (z. B. des Paragraphen), zum anderen auf die Beseitigung der verheerenden Auswirkungen dieser Verfolgung bei jedem einzelnen Homosexuellen. Durch die Tätigkeit der Verbände wurde sein Selbstbewußtsein gestärkt, Vereinsamung, Selbsthaß und Schuldgefühle überwunden und damit zugleich eine Selbstakzeptanz gefördert, die sich tendenziell auch in einem selbstbewußteren Auftreten in der Öffentlichkeit bemerkbar machte. Diese Folgen der beginnenden Emanzipation mußten wohl auch die kaiserlichen Kabinettsjuristen ahnen, so daß sie diesen Prozeß durch eine Verschärfung und Ausweitung des Paragraphen rückgängig zu machen oder zumindest in Grenzen zu halten versuchten. Frühestens 1917, so berechnete man im WhK, sollte der Entwurf des neuen Strafrechts zur Abstimmung in den Reichstag gelangen. Zu diesem Zeitpunkt aber wackelten die Fundamente des kaiserlichen deutschen Staates bereits heftig. Als der Erste Weltkrieg schließlich endete, fiel auch das zweite Deutsche Reich in sich zusammen.

3. „Freiheit in Wort und Schrift"

Wie in der Weimarer Republik der Paragraph 175 fast entschärft wurde (1918–1933)

„Die großen Umwälzungen der letzten Wochen können wir von unserem Standpunkt aus nur freudig begrüßen. Denn die neue Zeit bringt uns Freiheit in Wort und Schrift und, mit der Befreiung aller bisher Unterdrückten, wie wir mit Sicherheit annehmen dürfen, auch eine gerechte Beurteilung derjenigen, denen unsere langjährige Arbeit gilt." Diese optimistische Botschaft erhielten Mitglieder und Förderer des „Wissenschaftlich-humanitären Komitees" zum Jahreswechsel 1918/19 vom Vorstand ihrer Vereinigung zugeschickt.

Die neue Zeit ohne Kaiser und Klassenwahlrecht brachte grundlegende demokratische Rechte. Koalitions- und Versammlungsfreiheit, Freiheit der Meinungsäußerung und der Presse garantierte die erste demokratische Verfassung Deutschlands *allen* Staatsbürgern. Die homosexuelle Minderheit machte davon eifrig Gebrauch. Schon 1919 bildeten sich in mehreren Großstädten sogenannte „Freundschaftsvereine". Darin schlossen sich Homosexuelle zusammen, um ihre soziale und gesellschaftliche Lage zu verbessern. Bei einem ersten Reichstreffen vereinigten sich 1921 in Kassel acht dieser Vereine. Im folgenden Jahr ging während eines zweiten Verbandstags daraus in Hamburg der „Bund für Menschenrecht" (BfM) hervor – die bisher größte Vereinigung Homosexueller in Deutschland. Der Erste Vorsitzende des Bundes, der Verleger Friedrich Radszuweit (1876–1932), vereinigte Geschäft und Bewegung. Sein Verlag gab Zeitungen und Zeitschriften für homosexuelle Männer und Frauen in breiter Vielfalt heraus. Einzelne dieser Presseprodukte erreichten zuweilen eine Auflage von über 100000 Exemplaren monatlich. Allein seine Zeitschrift „Die Insel" verzeichnete im Jahre 1930 eine monatliche Rekordauflage von 150000 Exemplaren.

Offizielles Verbandsorgan des BfM wurden die „Blätter für Menschenrecht“. Sie erschienen monatlich, in machen Jahren sogar wöchentlich und enthielten neben Informationen über Ziele und Politik des Bundes auch literarische und wissenschaftliche Beilagen. Wie die „Blätter“ konnten auch alle anderen Druckerzeugnisse der homosexuellen Presse an Zeitungskiosken in den Großstädten frei verkauft werden. Das bedeutete allerdings auch, daß zuweilen die Zensur, besonders am Ende der republikanischen Jahre, einzelne Ausgaben beschlagnahmte oder manche Zeitung sogar für einige Monate verbot.

Auf der Gründungsversammlung legte sich der Bund auch auf politische Forderungen fest und konzentrierte die Ziele des Verbandes vor allem auf folgende Punkte: Kampf für die Abschaffung des Paragraphen 175 StGB, Kampf gegen die gesellschaftliche Ächtung der Homosexuellen, Kampf gegen Erpresser und kostenloser Rechtsbeistand. Das hörte sich gewaltig an. Tatsächlich aber beteiligte sich nur ein sehr geringer Teil der Mitglieder aktiv an der Umsetzung der politischen Ziele. Mit der Wahrnehmung geselliger Veranstaltungen erschöpfte sich für sie der hauptsächliche Zweck ihrer Mitgliedschaft im Bund, der zeitweise 48000 Mitglieder zählte und Niederlassungen in vielen Großstädten unterhielt.

So wiesen denn auch die meisten dieser „Ortsgruppen“ lediglich Club-Charakter auf, dienten der Unterhaltung und – nach den täglich erlebten Anstrengungen der selbstverleugnenden Anpassung an die heterosexuelle Umwelt – dem Rückzug in eine sozial entspannte Atmosphäre. Auf diesem Boden entwickelte sich eine breite, bunte Kultur, deren Aktivitäten sich vor allem in einer intensiven Nutzung der Freizeit niederschlugen. Die ständig expandierenden Blätter der Szene beförderten alle diesbezüglichen Neuigkeiten rasch bis in die letzten Winkel der Reichsprovinzen. Da gab es zum Beispiel in Dresdens „Annensälen“ jeden Herbst ein „Großes Dahlienfest“, jeden Donnerstag, Samstag und Sonntag veranstaltete der Kölner „Club Kameradschaft“ in „Köhlers“ Sälen einen „Großen Fest-Ball“ und jeden Freitag „Das Fest der Damen“, der Berliner „Internationale Freundesbund“ feierte in den „Luthersälen“ und in Hamburg schwärmte H. R., der die „rauschenden schwulen Feste im Curio-Haus“ während der Weimarer Republik miterlebte, noch Ender der Siebziger Jahre von ihren „phantastischen Ausstattungen“ und der „glänzenden Stimmung“. Ob „Lila Nacht“, Film- oder Maskenball, Bayerisches Bockbierfest oder „Zille-Ball“ – gefeiert wurde überall in der Szene zwischen Königsberg und Köln, Flensburg und München. Einschlägige Kneipen und Bars eröffneten in nahezu jeder Großstadt, und wer sich einen Schallplattenspieler leisten mochte, der konnte in seinen eigenen vier Wänden zur Platte „Bubi, laß uns Freunde sein“ den Tangoschritt üben.

Dem Wunsch, ungestört unter seinesgleichen zu sein, entsprang auch das Bedürfnis nach Literatur, nach „Wiedererkennen“ der eigenen Sorgen und Probleme, vor allem aber der eigenen Sehnsüchte, Hoffnungen und Lebenserfahrungen. Dem nahmen sich vor allem die Zeitungen mit ihren Kurzgeschichten an, aber auch eine expandierende schwule und lesbische Belletristik entdeckte ihren Markt. Die Produkte freilich blieben so unterschiedlich wie die Ansprüche ihrer Leser und Leserinnen, sie rangierten zwischen Kitsch und Kunst.

Großen Erfolg mit ihrem 1919 erschienen Roman „Die bronzene Tür“ hatte die Exil-Russin Jelena Nagrodskaya. Ihr flammender Appell für die Gleichberechtigung der homosexuellen Liebe erlebte fünf deutsche Auflagen und Übersetzungen in mehrere Sprachen, ehe er 1928 von dem Wiener Regisseur Hans Effenberger verfilmt wurde. Verbreitung fanden auch die sozialkritischen Romane und Novellen des Journalisten Hans Siemens, zu denen die renomierte Bildhauerin und Graphikerin Renée Sintenis gelegentlich prachtvolle Zeichnungen anfertigte. Seine Schriften erlebten in den achtziger Jahren eine teilweise Neuauflage, wie auch der politische Roman „Alf“ des Pazifisten und WhK-Aktivisten Bruno Vogel, worin er „kleinbürgerlich vermufftes Elternhaus, verstockte Schule, Religion und Spießermoral“ geißelte. Zu Ufa-Ruhm gelangte der Autor Eugen Ludwig Gattermann mit der Verfilmung seines wehmütig-tragischen schwulen Romans „Der Geiger des Herzogs von Aosta“ (1924) – einer melancholischen, aber verkaufsträchtigen Mischung aus Schwulst, Theatralik und adliger Renaissance-Historie. Zahlreiche homosexuelle Leser fand auch der unter dem Pseudonym Sagitta schreibende Max Stirner-Biograph und streitbare Anarchist John Henry Mackay mit seinen Romanen, Gedichten und Kurzgeschichten.

Während jedoch die meisten dieser Autoren heute nur noch Spezialisten bekannt sind, blieb Gleichgeschlechtliches aus der Zeit vor 1933 nur dann einem großen Leserkreis gegenwärtig, wenn es gehobenen literarischen Ansprüchen genügte: Mit dem breiten sozialen „coming-out“ der Homosexuellen fanden jetzt aber auch namhafte Schriftsteller den Mut zu einer literarischen Verarbeitung des gesellschaftlich tabuisierten Themas. Schon 1913 hatte Thomas Mann die Novelle „Der Tod in Venedig“ veröffentlicht und, wie aus seinen Tagebüchern hervorgeht, darin auch eigene homosexuelle Empfindungen verarbeitet. Im literarischen Werk seines Sohns Klaus Mann nahm die Erfahrung der eigenen Homosexualität einen breiten, akzentuierten Rahmen ein, und vor allem in seiner Autobiographie „Der Wendepunkt“ wird zur Entstehung seiner Romane „Der fromme Tanz“, „Treffpunkt im Unendlichen“ und „Alexander“ aufschlußreiches Material geliefert. Bekannt wurde später vor allem sein Exil-Roman „Mephisto“, als dessen karrieristischer „Held“ Gustaf Gründgens zu sehen ist, mit dem Klaus Mann während einiger Weimarer Jahre in enger Freundschaft verbunden war. Auch Stefan Zweig gestaltete in seiner Novelle „Die Verwirrung der Gefühle“ das homosexuelle Thema auf eine Art, die dem Sujet ein literarisches Überleben garantierte.

Da der Kampf für die Abschaffung des Paragraphen im Mittelpunkt aller homosexuellen Bürgerrechtsorganisationen stand, bot sich eine Zusammenarbeit bzw. ein Zusammenschluß wie von selbst an. Ansätze hierzu gab es im Jahre 1923. Der „Bund für Menschenrecht“, die „Gemeinschaft der Eigenen“ (eine Abspaltung des „Wissenschaftlich-humanitären Komitees“ aus dem Jahre 1903 um den Journalisten und Schriftsteller Adolf Brand (1874–1945), die sich stark an den individual-anar-

Homosexuellen-Blätter der zwanziger Jahre (Foto: Philipp Salomon)

chistischen Theoretiker Max Stirner (1806–1856) und seinem Hauptwerk „Der Einzige und sein Eigentum" orientierte) sowie das WhK selbst schlossen sich zu einem „Aktionskomitee" zusammen. Dabei sollte das WhK den „wissenschaftlichen Kampf" gegen den Paragraphen führen, während der BfM die allgemeine Aufklärung der Öffentlichkeit und die Verhandlungen mit den Behörden übernehmen sollte.

Vor allem in den ersten Jahren der Republik gelang es dem BfM, „eine starke Aktivierung der homosexuellen Masse zu erreichen", wie Magnus Hirschfeld feststellte. Doch der Versuch zu einer Zusammenarbeit endete bald in Zank und Streit, so daß die einzelnen Organisationen der homosexuellen Bürgerrechtsbewegung nicht in der Lage waren, ihre weitgehend identischen Ziele zum Nutzen aller Betroffenen gemeinsam zu vertreten. Neben Fragen des politischen Vorgehens stellte vor allem das Selbstverständnis von Homosexuellen immer wieder ein spaltendes Moment in der Bewegung dar. Verhaßt waren etwa dem BfM die sogenannten „Tanten" oder „Tunten". Diese „Feminierlichen, die sich auf der Straße und in der Gesellschaft so absonderlich gebärden", meinte das Bundesblatt zuweilen in entsprechenden Artikeln, sollten sich gefälligst „zusammennehmen, damit sie den anderen nicht auf die Nerven fallen, und die homosexuelle Bewegung ... nicht in Gefahr bringen." Selbst zu einem Kampf gegen „diese Degenerierten" wagte im Mai 1926 ein Autor in den „Blättern für Menschenrecht" aufzurufen. Während der BfM eher dem männlich wirkenden Homosexuellen als Repräsentant der Minderheit dargestellt sehen wollte (was einem Ernst Röhm seine Mitgliedschaft im Bund für Menschenrecht sicherlich erleichterte), wurden dagegen effeminierte Homosexuelle im „Wissenschaftlich-humanitären Komitee" auf Grund der Hirschfeldschen Theorie von den „sexuellen Zwischenstufen" durchaus als natürlich angesehen.

Freilich ließ es sich nicht übersehen, daß sich insbesondere das WhK nach der Devise „klein aber fein" von der entstandenen Massenorganisation abgrenzte. Es war „berühmt und verschrien", schrieb Kurt Hiller (1885–1972), einer der führenden Aktivisten des Komitees in der Weimarer Zeit, weil es „keinen

Die Verleger Adolf Brand und Friedrich Radszuweit

Richard Linsert und Kurt Hiller, führende Mitarbeiter des WHK

vulgär-verschwommenen-sentimentalen, sondern einen präzisen, auf Naturforschung und Denken beruhenden, ernsthaft fundierten (Kampf führte)". Das schlug sich vor allem auch in der Aufnahmepolitik des Komitees nieder. Im zweiten, erst nach Hillers Tod veröffentlichten Band seiner Erinnerungen „Leben gegen die Zeit" wird beschrieben, wie 1922 Richard Linsert (1899– 1933), Mitglied der KPD, für das Komitee gewonnen wurde. Der Bericht liest sich wie das „headhunting" eines modernen Großunternehmens. Danach war es in München zu einem großen politischen Treffen der „Freunschaftsverbände" gekommen. „Es sei ein riesiges Rendez-vous gewesen, mit natürlich richtiger Kerntendenz", charakterisierte Hiller die Versammlung, „aber einem Übermaß von Dilettantismus, volkstümlicher Ahnungsarmut, Matschreden, Quatschreden, Gutgemeintem, Schlechtgekonntem ..." Nur eine Ausnahme sei aufgefallen: „Ein noch sehr junger Mann, der mehrmals das Wort ergriffen habe und ständig in klarster und gewinnendster Weise als Fürsprecher der Radikalen, aber Verständigen, des die Gegenwelt Herausfordernden, aber Gerechten, kurz des Richtigen aufgetreten sei."

Linsert, über dessen beruflichen Werdegang wenig bekannt ist, wurde recht bald nach Berlin zu einem Informationsgespräch geladen und ab August 1923 mit wesentlichen organisatorischen Aufgaben im WhK betraut. Allein der Umstand, daß jemand schwul war, reichte dem WhK zur Mitarbeit nicht aus; Qualifikationen, sei es im wissenschaftlichen, politischen, journalistischen oder organisatorischen Bereich, blieben stets Voraussetzung, um in den „inner circle" der Organisation aufgenommen zu werden. Linsert gehörte recht bald neben Hiller und Hirschfeld zu den führenden Mitarbeitern des WhK und trat durch eine Reihe sozialpolitischer Veröffentlichungen zur sexuellen Frage hervor.

Hiller selbst war bereits im Jahre 1908 Mitglied des WhK geworden. Er stammte aus einer jüdischen Familie, war mütterlicherseits verwandt mit dem sozialdemokratischen Parteivorsitzenden Paul Singer (1844–1911) und hatte im Jahre 1907 mit einer Arbeit zum Dr. jur. promoviert, die unter dem Titel „Das

Recht über sich selbst" veröffentlicht wurde. Hiller dazu in seinen Memoiren: „Beim Studium des in Deutschland geltenden Strafrechts entdeckte ich plötzlich, daß die Befugnis des Individuums, körperlich über sich selbst zu verfügen ... an allen Ecken und Enden unseres Gesetzbuches verneint und verweigert wird." Neben der Tötung auf Verlangen (Sterbehilfe) standen insbesondere die Paragraphen 218 (Abtreibung) und 175 im Mittelpunkt seiner Arbeit. Hillers Forderung nach Aufhebung des Gebärzwangs legte die Wurzeln zu einer „engen sachkameradschaftlichen Zusammenarbeit" zwischen WhK und dem von der Frauenrechtlerin Helene Stöcker (1869–1943) geleiteten „Bund für Mutterschutz". Gemeinsam mit Kurt Tucholsky, Erich Weinert, Helene Stöcker und anderen gründete er 1926 die „Gruppe revolutionärer Pazifisten", schrieb regelmäßig politische Artikel und Kommentare in der „Weltbühne" und übernahm Anfang 1930 das Amt des Zweiten Vorsitzenden des WhK.

Auch Hirschfeld hatte die Promotion des jungen Juristen mit Interesse gelesen und ließ durch den Studenten Arthur Kronfeld (er wurde später als Psychologe und Mediziner am Institut für Sexualwissenschaft tätig) einen ersten Kontakt herstellen, aus dem sich alsbald eine jahrelange Zusammenarbeit im WhK ergab.

Besonders nach 1918 konzentrierte sich Hirschfeld auf eine Konsolidierung und Ausweitung der jungen Sexualwissenschaft. Als eigene Wissenschaftsdisziplin an deutschen Universitäten kaum vertreten, haftete der systematischen Beschäftigung mit sexuellen Dingen auch in Weimar noch der Geruch des Unanständigen an. Sicherlich als Meilenstein in der Entwicklung dieser Disziplin in Deutschland ist die Gründung des „Instituts für Sexualwissenschaft" in Berlin, häufig „Hirschfeld-Institut" genannt, anzusehen. Mit der Gründung wollte Hirschfeld nicht nur den Befreiungskampf der Homosexuellen in ein umfassendes wissenschaftliches Konzept einbeziehen, sondern auch die allgemeine sexuelle Frage in einen praktischen gesellschaftspolitisch-reformerischen Zusammenhang stellen. Öffentliche „Frageabende" und aufklärende Vorträge im Institut über „Bau und Hygiene des menschlichen Körpers“, „Körperliche und seelische Sexualleiden“, Probleme des Ehelebens, der Empfängnisverhütung, des „Geschlechts- und Liebeslebens“, Fragen über Geschlechtskrankheiten, Sexualstrafrecht, Homosexualität und Abtreibung bildeten denn auch die praktische, populäre Entsprechung zu dem Bemühen des „Wissenschaftlich-humanitären Komitees“, die Ergebnisse der Sexualforschung zu einem wissenschaftspolitischen Reformprogramm zu vereinigen.

Auch auf internationaler Ebene gingen vom Institut sexualreformerische Anstöße aus. So wurde im Jahre 1921 eine erste „Internationale Tagung für Sexualreform auf wissenschaftlicher Grundlage“ in Berlin durchgeführt. Bereits die Themenstellung ließ die geistige Handschrift Hirschfelds erkennen. Sein aufgeklärter Glaube, daß wissenschaftliche Erkenntnis sich auch praktisch in eine aufgeklärte Sexualgesetzgebung umwandeln lasse, daß das Licht der (natur-)wissenschaftlichen Erkenntnis nur an die Herrschenden und das Volk herangetragen werden müsse, um die Finsternis der Unwissenheit zu vertreiben, davon war der aufgeklärte Bürger Hirschfeld – bereits vor dem Ersten Welkrieg zur Sozialdemokratie übergetreten – zutiefst überzeugt. „Die große Überwinderin aller Vorurteile ist nicht die Humanität, sondern die Wissenschaft“, schrieb er im Vorwort zur sechsten Auflage seiner vor 1900 erstmals erschienenen Schrift über „Berlins Drittes Geschlecht“. Er brachte damit eine mechanische Wissenschaftsgläubigkeit zum Ausdruck, die sicherlich der seelische Motor seiner unerschöpflichen Tätigkeit und seines Gerechtigkeitsempfindens gewesen ist. Sie blieb jedoch weitgehend und vor allem tragisch in dem Politikverständnis der Aufklärungsphilosophie verhaftet. Der deutsche Bürger Hirschfeld, der als Jude und Homosexueller gleich zwei diskriminierte und von den staatlichen Erben der bürgerlichen Aufklärung weitgehend übergangene Minderheiten in seiner Person zu harmonisieren hatte, glaubte unerschütterlich an die Machbarkeit und politische Fortschreibung von Aufklärung.

Sein Institut erreichte bald internationale Bedeutung. Offizielle Vertreter ausländischer Regierungen kamen nach Berlin, um sich hier über Ergebnisse der Sexualforschung zu informieren und ließen sich sogar zuweilen zu Reformen des Sexualstrafrechts und der Ehegesetzgebung in ihren Ländern anregen. So war bereits kurz nach der Revolution in der Sowjetunion der zaristische Homosexuellen-Paragraph auf Grund der Hirschfeldschen Forschungsergebnisse entscheidend reformiert worden, ebenso wie die entsprechenden Strafbestimmungen in der Tschechoslowakei und Norwegen.

Sexualwissenschaftliche Kongresse fanden Ende der zwanziger und Anfang der dreißiger Jahre auch in anderen Ländern statt. Wie bereits in Berlin nahmen daran viele Fachärzte teil, was den wachsenden Einfluß der Hirschfeldschen Pionierarbeit zum Ausdruck brachte. Die Koordination der Aufgaben erfolgte durch eine 1928 gegründete „Weltliga für Sexualreform", zu deren Präsidenten die Sexualwissenschaftler August Forel (Schweiz), Havelock Ellis (England) und Magnus Hirschfeld gewählt wurden. Die Liga strebte ihrer Satzung entsprechend „eine möglichst weite Verbreitung der sexualwissenschaftlichen Ergebnisse an" und arbeitete darauf hin, „daß in allen Ländern der Welt aus den Forschungesergebnissen der Sexualwissenschaft die praktischen Folgen für die Beurteilung und Neugestaltung des menschlichen Geschlechts- und Liebeslebens gezogen werden". Die praktischen Forderungen zielten vor allem auf eine Legalisierung der Abtreibung, auf Mutterschutzgesetze, die Liberalisierung des Eherechts, sowie die Aufhebung des Homosexuellen-Paragraphen.

Dem menschlichen Bedürfnis nach Sexuellem nahm sich auch gleich zu Beginn der republikanischen Jahre ein neues, populäres Medium an. In dem Regisseur Richard Oswald (1880–1963) fand die Filmwirtschaft einen Mann, der das Thema „Sexualaufklärung" mit kommerziellen Erfolgen zu verbinden wußte. In diesem Genre entstand 1919 auch der erste Film der Welt mit homosexueller Problematik. „Anders als die Anderen", so sein Titel, war ein stummes Melodram um Liebe und ihre Ächtung, um Erpressung, Gift und Tod. Am Schluß des Films wurde der Paragraph 175 symbolisch mit einem Pinsel aus dem Strafgesetzbuch gestrichen. Der Streifen war nicht nur herzergreifend, sondern auch ein Kassenerfolg. Die sexualwissenschaftliche Beratung hatte Hirschfeld übernommen; er selbst trat in den wissenschaftlichen Szenen als Aufklärer vor ein Publikum, das sich größtenteils zum erstenmal im Leben mit der Situation Homosexueller auseinandersetzte. Überwiegend fand der Film zustimmende Aufnahme und nur vereinzelt, das jedenfalls stellten polizeiliche Beobachter in ihren Berichten fest, war es in den Vorführungen zu „Widerspruch" gekommen.

Öffentliche Proteste gegen eine Thematisierung der Homosexualität in dem subtilen Licht-Medium konnten allerdings kaum ausbleiben. Von „Verherrlichung der Homosexualität" schrieben manche Zeitungen, zuweilen gekoppelt mit bösartigen antisemitischen Verleumdungen Hirschfelds. In Wien, München und Stuttgart untersagte die Polizei die Aufführungen, und im preußischen Landtag wurde ein Antrag auf Verbot des Films abgelehnt. Der Grund: Da die Zensur verfassungsrechtlich abgeschafft sei, gäbe es keine Handhabe dazu. Das jedoch änderte sich rasch, denn das Genre „Aufklärungsfilm" löste sogleich eine heftige Debatte um die Wiedereinführung der Filmzensur aus. Die SPD, mittlerweile durch die Abspaltung der USPD um ihren linken Flügel erleichtert, legte sogar, um „die öffentliche Moral" zu retten, im Reichstag einen Antrag auf Verstaatlichung der Filmindustrie vor. Das wurde glücklicherweise abgelehnt, aber am 25. April 1920 beschloß das deutsche Parlament, die Filmzensur dennoch einzuführen. Sie besteht bis heute in einer „freiwilligen Selbstkontrolle" fort. Daß der Film „Anders als die Anderen" zur Wiedereinführung der durch die republikanische Verfassung zunächst aufgehobenen Zensur beitrug, ist – wenn auch kaum zu beweisen – doch wahrscheinlich. Dabei wagte sich die szenische Darstellung der Homosexualität nicht einmal ans „Händchenhalten", sondern beschränkte sich keusch auf männlichen Händedruck und sehnsüchtige Blicke. Selbst eine im Jahre 1927 vorgenommene Überarbeitung des Films und ihre Einbettung in ein umfassenderes, fünfteiliges Konzept zur allgemeinen Sexualaufklärung scheiterte an der Zensur. In einem Moskauer Filmarchiv hat ein etwa 25 Minuten umfassendes Fragment des Stummfilms die wütende Verfolgung alles Homosexuellen durch die Nazis überlebt. Allerdings nicht mit deutschen Zwischentiteln, sondern mit russischen. Es wird heute wieder in mehreren Verleihen als filmische Antiquität vertrieben.

Auch die Hoffnungen der homosexuellen Minderheit auf eine rasche Aufhebung des Paragraphen erfüllten sich nicht. Vielmehr legte im Jahre 1925 – die „Weimarer Koalition" bestehend aus einem Bündnis von SPD, Zentrum und liberaler DDP war durch eine konservative Regierung unter deutschnationaler Beteiligung abgelöst worden – eine Gruppe von Ministerialbeamten einen Strafrechtsentwurf (E 1925) vor, der deutlich die nach rechts verschobenen politischen Verhältnisse widerspiegelte. Hiller schreibt in seinen Erinnerungen, daß der Entwurf von jenem Ministerialdirektor Bumke stammte („Der Name, fanden wir, haute hin"), der bereits für den rückschrittlichen E 1909 verantwortlich gezeichnet hatte. Obwohl darin die Ausdehnung des 175 auf Frauen fallengelassen worden war, sah der E 1925 eine deutliche Verschärfung der juristischen Verfolgung Homosexueller vor. Gegenüber der geltenden Fassung aus dem Jahre 1871 spezifizierte der Entwurf nicht nur den Straftatbestand, sondern weitete ihn in „besonders schweren Fällen" auf „strenges Gefängnis bis zu fünf Jahren" aus, wobei „jede unzüchtige Handlung" unter Strafe gestellt werden sollte.

Dabei waren sich die Verfasser des amtlichen Entwurfs durchaus darüber im klaren, daß die Anwendung des Gesetzes „Härten" mit sich bringe und es generell auch nur beschränkt durchführbar sei. Wenn es dennoch aufrechterhalten und sogar verschärft werde, so deswegen, weil es „trotz seiner beschränkten praktischen Durchführbarkeit eine Schranke bedeutet, die man nicht ohne Schaden für die Gesundheit und Reinheit unseres Volkslebens hinwegziehen darf". Deutlich klingen hier bereits jene nationalsozialistischen Termini an, die sich zehn Jahre später, um den Rassebegriff erweitert, in der Begründung der NS-Fassung des Paragraphen 175 wiederfinden. Weiter hieß es: „Dabei ist davon auszugehen, daß der deutschen Auffassung die geschlechtliche Beziehung von Mann zu Mann als eine Verirrung erscheint, die geeignet ist, den Charakter zu zerrütten und das sittliche Gefühl zu zerstören. Greift diese Verirrung weiter um sich, so führt sie zur Entartung des Volkes und zum Verfall seiner Kraft."

Hatte der E 1909 bereits die Verführungsthese im Zusammenhang mit der Ausdehnung einer Bürgerrechtsbewegung der Homosexuellen anklingen lassen, so weitete der E 1925 diese Argumentation deutlich aus und behauptete, „daß an Verfehlungen gegen § 175 in erheblicher Zahl Personen beteiligt sind, die nicht aus angeborener Neigung handeln, sondern durch Verführung und Übersättigung dem Laster verfallen ..." Aus welchen Quellen derartige Einsichten geschöpft wurden, blieb allerdings im dunkeln. Mit den Ergebnissen sexualwissenschaftlicher Studien jedenfalls stimmten sie nicht überein.

Prinzipiell unterschieden die Staatsjuristen somit zwei Gruppen: Während die eine angeblich aus „angeborener Neigung" handelte, wurde die andere als durch sie zur Homosexualität verführt angesehen. Diese künstliche Aufspaltung der Homosexuellen in zwei Gruppen bildete eine geschickte Hilfskonstruktion, um der Öffentlichkeit das verstärkte Auftreten einer Minderheit plausibel zu machen, deren Existenz über Jahrhunderte hinweg als Quantité négligeable betrachtet worden war. Je stärker die Bewegung jener, die aus „angeborener Neigung", quasi als „Ur-Homos" verkehrten, desto mehr „Verführung" offenbarte sich den Juristen und um so schärfer galt es gegen die „rege Propaganda" der „Verführer" vorzugehen. Dieser Logik entsprechend stellten die Verfasser des E 1925 weiter fest: „Gerade in den Großstädten ist schon jetzt, unter der Herrschaft des § 175, zu beobachten, daß Männer, die dem gleichgeschlechtlichen Verkehr ergeben sind, sich zusammenschließen, durch eigene Zeitschriften und gesellige Veranstaltungen eine rege Propaganda entfalten, und aus der Art der Veranlagung der Beteiligten ergibt sich von selbst das Bestreben, jüngere Personen, die nicht von Natur aus gleichgeschlechtlich veranlagt sind, in ihren Bann hineinzuziehen. Hier bildet die Strafvorschrift eine Schranke, durch die Männer, die nicht gleichgeschlechtlich veranlagt sind, sich von dem Anschluß an diese Bewegung abhalten zu lassen. Wird der § 175 beseitigt, so besteht die Gefahr, daß sich diese Bestrebungen mehr als bisher an die Öffentlichkeit wagen und insbesondere die männliche Jugend nicht nur durch unmittelbare Verführung, sondern auch durch verstärkte Einwirkung in Wort und Schrift in Versuchung geführt wird. So würde das Eindringen des gleichgeschlechtlichen Verkehrs in Kreise herbeigeführt werden, die bei bestehendem Verbote von ihm verschont bleiben."

Der präventive, vor allem gegen die Bürgerrechtsbewegung zielende Charakter der vorgesehenen Strafverschärfung wurde um so deutlicher, als der Entwurf an anderer Stelle durchaus wesentliche Argumente der *Gegner* des Paragraphen 175 anerkannte. In dem entscheidenden Punkt aber, nämlich der Ausdehnung der Bürgerrechtsbewegung und der durch sie angeblich verursachten „Verführung", ließen sich die Verfasser des amtlichen Entwurfs jedoch nicht überzeugen. Dabei hatten Gegner des Paragraphen darauf hingewiesen, daß der behaupteten Gefahr einer Verführung Jugendlicher durch die Schaffung besonderer Vorschriften vorgebeugt werden könne. Bereits in der Debatte um den E 1909 erklärte etwa ein der „Propaganda" so unverdächtiger Mann wie der Berliner Geheime Medizinalrat und Universitätsprofessor Dr. Eulenburg, daß es eine Verführung zur Homosexualität *nicht* gebe, und wolle man dennoch „ein Übriges tun, so könnte man das bisher ausschließlich für die weibliche Jugend normierte Schutzalter für *beide* Geschlechter gesetzlich festlegen und auf 16 oder ... sogar bis auf 18 Jahre erhöhen". Solche Anregungen blieben allerdings im Ministerium ohne Gehör.

Der Beamten-Entwurf zu einem neuen Sexualstrafrecht löste beim WhK rege Betriebsamkeit aus. Auf die Initiative von Hiller, Hirschfeld und Linsert gelang es noch im Jahre 1925, mehrere „humanistisch-reformerische Bünde" (Hiller) zu einem „Kartell zur Reform des Sexualstrafrechts" zusammenzuschließen, um einen Gegenentwurf zu dem amtlichen Strafrechtsentwurf zu erstellen. Diesem Kartell gehörten an: „Deutsche Liga für Menschenrecht", „Bund für Mutterschutz und Sexualreform" (Helene Stöcker), „Verband Eherechtsreform", „Gesellschaft für Sexualreform", „Gesellschaft für Geschlechtskunde", die „Abteilung für Sexualreform am Institut für Sexualwissenschaften in Berlin" und das WhK selbst.

Es fällt auf, daß keiner der verschiedenen Homosexuellen-Verbände, etwa der „Bund für Menschenrecht" (BfM) oder die „Gemeinschaft der Eigenen" in diesem breiten, vom WhK initiierten Bündnis vertreten war. Es findet sich in der recht spärlichen Literatur jener Zeit (bisher) auch kein Hinweis, der diesen Umstand hinreichend erklärt. Auffallend ist aber, daß das WhK seine „offiziellen" Vereinsmitteilungen ab Sommer 1926 nicht mehr über die dem BfM nahestehende Zeitschrift „Die Freundschaft" verbreitete, sondern im August 1926 eigene (nicht für die Öffentlichkeit bestimmte) „Mitteilungen" herausgab. Daß sich jedoch das Verhältnis zwischen dem WhK und den anderen Organisationen der homosexuellen Bürgerrechtsbewegung im Laufe der Zeit keineswegs gebessert hatte, dafür spricht vor allem deutlich ein Artikel in den Mitteilungen des WhK vom August 1928 mit der Überschrift „Die homosexuelle Presse". Er erschien zu einem Zeitpunkt, an dem die Beratungen über den amtlichen Strafrechtsentwurf im Reichstag unmittelbar bevorstanden, und gibt wichtige Aufschlüsse darüber, wie im WhK die politische Potenz der Gruppen eingeschätzt wurde. Aktueller Anlaß dieses Artikels war der Umstand, daß ab 19. Juni 1928 ein großer Teil der homosexuellen Zeitschriften auf Grund verschärfter Zensurmaßnahmen auf die amtliche Liste der „Schmutz und Schundliteratur" gesetzt worden war. Darunter auch „Die Freunschaft". Obwohl das WhK diese Maßnahmen scharf verurteilte und sich „gegen jede Einschränkung der Pressefreiheit" wandte, warf es den Zensierten jedoch nicht nur groben Dilettantismus und politische Dummheit im Kampf gegen die Zensurbehörden vor, sondern zugleich „unverantwortliche Manöver" im Zusammenhang mit den Parteien des Reichstags. So wurde kritisiert, daß eine jener Zeitungen einen überaus polemischen Artikel über „Pfaffen- und Weiberherrschaft" gedruckt und diesen auch noch an die Reichstagsabgeordneten der (christlichen) Zentrumspartei geschickt habe, „auf die es bei den Verhandlungen zur Strafgesetzreform so sehr ankommt". Kritisiert wurde der Beitrag eines schwulen

Blattes, der „wüste Schilderungen über die Arbeit sowjet-russischer Verwaltungsbehörden" enthielt und „damit kommunistische Kreise (verschnupft), die erst vor einigen Jahren einen Initiativ-Antrag gegen den § 175 einbrachten". Kritisiert wurde, daß in einer jener Zeitungen der „Name des Reichsaußenministers als Schlagzeile benutzt wurde, obwohl sein Name mit dem Inhalt absolut nichts zu tun hat". Beispiele jener Art Berichterstattung wurden noch weitere angeführt und dabei auch festgestellt: „Und schließlich lebt eine ganze Reihe von Blättchen nur von mehr oder weniger geschmacklosen Angriffen auf den Vorsitzenden des Wissenschaftlich-humanitären Komitees", auf Hirschfeld also.

Tatsächlich kann man aus den wenigen Druckerzeugnissen, die die NS-Zeit überlebten, die Bedenken des WhKs gegen manche dieser Blätter durchaus nachvollziehen. Real aber zog das Komitee spätestens zu diesem Zeitpunkt einen deutlichen Trennungsstrich zu den anderen Gruppen der homosexuellen Bürgerrechtsbewegung. So enthielt der Artikel auch eine Resolution des WhK-Vorstandes, worin den Gruppen vorgeworfen wurde, die Gesamtinteressen der Homosexuellen zu schädigen. Konkret wurde dieser Vorwurf damit untermauert, daß eines jener Blätter einen Bericht über den von Hirschfeld in Kopenhagen geleiteten „II. Internationalen Kongreß für Sexualreform" aus der „Kölnischen Zeitung" kritiklos nachgedruckt hatte, das heißt, „ohne gegen die offensichtlich einseitige Berichterstattung dieses Blattes Verwahrung einzulegen". Die katholische und der rechtsliberalen „Deutschen Volkspartei" (DVP) nahestehende Zeitung hatte in ihrem abfälligen Bericht „vor allem gegen die weltanschauliche Tendenz" des Kongresses polemisiert und den Eindruck erweckt, als würden dessen Ergebnisse in der „wissenschaftlichen Welt" abgelehnt. Und ausgerechnet die DVP war es, die im Reichstag jenes Gesetz zum Verbot von „Schmutz- und Schundliteratur" eingebracht hatte, dessen Opfer Teile der homosexuellen Presse wurden. Der parteipolitisch strikt unabhängige Vorstand des WhK verurteilte jene merkwürdige Allianz zwischen dem Homosexuellen-Blatt und der rechten Kölner Zeitung „aufs schärfste", und kritisierte insbesondere, „daß Blätter, die *vorgeben*, den Interessen der Invertierten zu dienen, einen ungerechten und unfreundlichen Artikel herausgreifen, um sich mit seiner ‚Kritik' entgegen den Interessen der homosexuellen Bewegung zu identifizieren. Sie spielen damit nur das Spiel der Gegner der Homosexuellen, sie geben ihnen Waffen in die Hände. Dadurch ... machen sie sich zu Trägern der gefährlichsten kulturpolitischen Reaktion". „Mit wachsender Besorgnis", so hieß es in der Erklärung des WhK-Vorstandes weiter, habe man von den „nachgerade grotesk wirkenden Angriffen" Kenntnis genommen, denen die „Gründer und Förderer der Bewegung (d.h. das WhK – Anm.d.Verf.) aus den Kreisen bestimmter Blättchen seit Jahr und Tag ausgesetzt" seien. Diese „ständigen Verunglimpfungen der eigenen Vorkämpfer" gäben zur Besorgnis Anlaß, „weil (sie) ... gerade im gegenwärtigen Zeitpunkt des angespanntesten Kampfes ums Strafgesetz geeignet sind, die Interessen der gleichgeschlechtlich empfindenden Menschen erheblich zu schädigen".

Der Hintergrund dieser Auseinandersetzung war nicht schwer zu erkennen: Das WhK beanspruchte jetzt, wo die Beratungen über den Strafrechtsentwurf im Reichstag in die entscheidende Phase eintraten, auch formal die Führung innerhalb der in den vergangenen zehn Jahren rasch angewachsenen homosexuellen Bürgerrechtsbewegung einzunehmen. Deutlich hieß es denn auch im Anschluß an jene Mitteilung des Vorstands: „Wer die Resolution aufmerksam liest, wird wissen, daß hier eine bedeutsame Kundgebung der führenden Organisation des homosexuellen Befreiungskampfes vorliegt. Es darf nicht angehen, daß die Lebensinteressen des auf Beseitigung der gesetzlichen Verfolgung und gesellschaftlichen Ächtung gerichteten Kulturkampfes mit den fortgeschrittenen Entgleisungen von Presserzeugnissen verknüpft sind".

Es ist sicherlich nicht anzunehmen, daß der Bruch mit dem zahlenmäßig weit stärkeren „Rest" der Bewegung für das WhK ein schmerzvoller Vorgang gewesen ist. Führende Mitglieder des Komitees, besonders Hirschfeld und Hiller, hatten nie einen Hehl daraus gemacht, daß sie „Quantität" und „Qualität" einer homosexuellen Bewegung säuberlich zu trennen wußten. Von der unmittelbaren politischen Einflußnahme auf die aktuell anstehende Reform des Paragraphen 175 blieb das Gros der Homosexuellenbewegung denn auch ausgeschlossen. Das WhK hatte es bereits 1925 für sinnvoller gehalten, sich mit „heterosexuellen“ Organisationen im Kampf gegen den Homosexuellen-Paragraphen zu verbünden. Zudem waren sich Hirschfeld, Hiller und Linsert durchaus darüber im klaren, daß eine isoliert vorgelegte Forderung nach Aufhebung des Paragraphen 175 kaum Aussicht auf Erfolg im Reichstag und in der öffentlichen Meinung haben mochte. Sinnvoller erschien ihnen, die Forderung in einen Gesamtkatalog zum Sexualstrafrecht einzubetten und damit einen Teil-Gegenentwurf zum amtlichen zu erstellen. Das geschah nicht nur aus einfachen taktischen Überlegungen, sondern entsprach dem sexualreformerischen Anspruch des WhK und des aus ihm hervorgegangenen „Instituts für Sexualforschung“. Auch aus diesem Grund war also das WhK auf das Mittun der Homosexuellen-Bewegung nicht prinzipiell angewiesen.

Die Arbeit am Gegenentwurf wurde durch eine neunköpfige, gewählte Redaktionsgruppe vorgenommen. 1927 stellte sie ihren Entwurf der Öffentlichkeit vor. Was die Homosexualität anbelangte, so argumentierte der Kartell-Entwurf streng biologisch. Homosexualität sei eine Veranlagung, die „konstutionell“ bedingt sei, und daher befände sich der Gesetzgeber in einem „naturwissenschaftlichen Irrtum“, wenn er diese Form der Sexualität, die es „nachweislich zu allen Zeiten, bei allen Völkern gab“, bestrafe: „Wenn diese Veranlagung ‚Verirrung‘ genannt wird, so legt das die Frage nahe, wer es denn sei, der sich ‚verirrt‘ habe. Der Mensch, dem diese Veranlagung eignet? Aber er *konnte* keinen anderen Weg gehen als den, den sein eingewurzelter Trieb ihm vorschrieb, also muß sich schon *die Natur selber* ‚verirrt‘ haben ... Welche Anmaßung, einen seit Menschengedenken und überall beobachteten Akt der Natur, nur weil er unvollständig erscheint (d.h. nicht zur Fortpflanzung beiträgt – Anm. d. Verf.), als ‚Verirrung‘ zu bezeichnen! Die ‚deutsche Auffassung‘ will es besser wissen, als die Natur selbst!“ Zugleich glaubte die Redaktion auch eine „spezifische physische Konstitution der Homosexuellen“ beweisen zu können: Die Längenverhältnisse der Gliedmaßen zum Rumpf, die Funktion bestimmter Drüsen und die Gebißform sei bei ihnen anders als beim heterosexuellen Mann – das liefere „den schlagenden Beweis, daß es sich bei der *echten* Homosexualität in *allen Fällen* um eine tiefinnerliche konstitutionelle Anlage handelt“.

Derartige wissenschaftliche Erkenntnisse blieben vom Biologismus geschlagen und damit einem Denken verhaftet, wonach sozial abweichendes Verhalten sich auch in körperlichen Abweichungen vom „Normalen“ niederschlagen müsse. Im Prinzip blieben derartige Argumente auf dem Erkenntnis-Niveau eines Thardieu und eines Casper, die seinerseit bei Homosexuellen nicht nur einen geringelten Penis, sondern auch dutenförmige Hinterbacken, Trichter-Anus und abgewetzte Zähne festgestellt hatten. Verglichen mit dem unmittelbar demokratisch begründeten Ansatz der Emanzipation, wie ihm etwa Kurt Hiller mit dem Terminus „Recht über sich selbst“ umschrieben hatte, zeigten gerade jene bioligistischen Passagen des Gegenentwurfs deutlich, wo die Grenzen jener „wissenschaftlichen“ Argumentation lagen: Sie erfand schlichtweg Abnormitäten, die in der Wirklichkeit überhaupt nicht vorhanden waren. Bewiesen werden sollte mit diesen Erfindungen die durchaus richtige Erkenntnis, daß es eine Verführung zur Homosexualität nicht geben könne. Von daher diente der Biologismus Hirschfelds, wie jede andere Form des Biologismus ebenfalls, einem bestimmten (partei-)politischen Zweck.

Die Formel „Biologismus führt zum Faschismus“, die auch einen wissenschaftgläubigen Bürger, Juden und Homosexuellen wie Magnus Hirschfeld als einen ideologischen Vorläufer des NS-Regimes einstuft, übersieht, daß der Biologismus als wissenschaftliches Erklärungsmodell sozialer Erscheinungen quer durch *alle* Parteien der Weimarer Republik lief und die Sozialwissenschaften zugleich noch ein universitäres Kümmerdasein fristeten. Hirschfeld vertrat eine der SPD nahestehende Variante dieser allgemein herrschenden Wissenschaftsideologie. Das bewahrte ihn sicher nicht vor fehlerhaften Einsichten, wie dieser, die er in seinem enzyklopädischen Werk „Die Homosexualität des Mannes und des Weibes“ 1914 (Seite 986) veröffentlichte: „Die Wissenschaft kann sich selbstverständlich durch die öffentliche Meinung in keiner Weise beeinflussen lassen.“

Bereits einige Zeit bevor der „Amtliche Strafgesetzentwurf“ dem Reichstag zugeleitet wurde (16. Mai 1927), hatte auch das „Kartell“ seinen Gegenentwurf allen Abgeordneten sowie der Presse übersandt. „Die letzte entscheidende Phase unseres Kampfes“, so meldete der WhK-Vorstand seinen Mitgliedern, habe begonnen. Als öffentlichen Auftakt organisierte das WhK am 15. Mai 1927 eine große Versammlung in der Berliner Stadthalle (Klosterstr. 65). Anlaß dazu war nicht nur die Übergabe des amtlichen Strafrechtsentwurfs an den Reichstag, sondern zugleich der 30. Jahrestag der Gründung des WhKs. In einer dort von den rund 1000 Teilnehmern verabschiedeten Resolution an den Deutschen Reichstag und das Reichsjustizministerium forderte man, „die ungerechte, unmenschliche und zwecklose Strafbestimmung gegen Homosexuelle, die in dreiviertel aller Staaten der Welt nie bestand oder längst aufgehoben ist, unbeschadet des erforderlichen Schutzes der Geschlechtsunreifen, im neuen Strafgesetzbuch zu streichen“.

Das Presseecho auf diese Veranstaltung war beachtlich. So gegensätzliche Zeitungen wie der „Berliner Börsen-Courier“ („Für Aufhebung des § 175, stürmische, minutenlange Ovationen für Magnus Hirschfeld“) und des „Vorwärts“ („Der schwere Kampf für die Gleichberechtigung der Homosexuellen hat einige Erfolge gewiß gezeitigt“) berichteten mehr oder weniger ausführlich über das Ereignis. Direkte Unterstützung kam vom Parteitag der SPD. Dort war „die Abschaffung der jetzigen Bestrafung wegen Ehebruchs und widernatürlichen Verkehrs“ beschlossen und die Reichstagsfraktion (131 von 493 Abgeordneten) aufgefordert worden, eine „gründliche Umgestaltung im Sinne der sozialdemokratischen Forderungen durchzusetzen“. Freilich hatte das WhK in den vorangegangenen Monaten bereits „eingehende Besprechungen mit prominenten Mitgliedern“ der Fraktion gehabt, die denn auch „ein energisches Eintreten für die Forderungen des Komitees zusagten“. Eine solche Lobby-Arbeit erfolgte gleichzeitig auch mit anderen Parteien, insbesondere der KPD, die den Forderungen eindeutig positiv gegenüberstand und mit 45 Abgeordneten im Reichstag vertreten war.

Die erste Lesung des Gesetzentwurfs begann am 22. Juni 1927. Eher mit gedämpften Erwartungen sah ihr das WhK entgegen. Man fürchtete nicht zu Unrecht, daß – wie Richard Linsert in den Mitteilungen schrieb – „die gegenwärtige Koalition zwischen Zentrum, Deutscher Volkspartei und Deutschnationaler Volkspartei schließlich nichts anderes bezweckt, als Gesetzesentwürfen zu überstürzter Annahme zu verhelfen, die unter einer anderen politischen Konstellation niemals in dieser rückschrittlichen, kulturwidrigen und inhumanen Fassung angenommen werden würden.“ Auch wenn diese Koalition zusammen nur über 223 der insgesamt 493 Sitze im Reichstag verfügte, so war dennoch damit zu rechnen, daß kleinere Parteien ihr in den jeweilig anstehenden Abstimmungen zu den erforderlichen Mehrheiten verhelfen würden. Unterstützung erhielt die Koalition in der Frage des Paragraphen 175 denn auch prompt von der NSDAP, die in diesem 3. Reichstag über 14 Abgeordnete verfügte. Sie meldete sich mit ihrem Redner Dr. Frick als *erste* Partei zu Wort und ließ unter zustimmenden „Sehr wahr“-Rufen bei den „völkischen“ Abgeordneten (DVP, DNVP) verkünden: „Wir dagegen sind der Ansicht, daß diese Leute des § 175, also die widernatürliche Unzucht unter Männern, mit aller Schärfe verfolgt werden müssen, weil solche Laster zum Untergang des deutschen Volkes führen müssen“. An dieser Stelle setzten jene »Sehr wahr“-Rufe ein. Dann fuhr er fort: „Natürlich sind es die Juden, Magnus Hirschfeld und seine Rassegenossen, die auch hier wieder führend und bahnbrechend wirken, wie ja überhaupt die ganze jüdische Moral das deutschen Volk geradezu verwüstet.“ Hier kündigten sich auch für die Homosexuellen jene Verwüstungen an, die sechs Jahre später mit dem „Rutsch des Reiches in den Dreck“ (Hiller) enden sollten. Nach der Rede Fricks sprach der KPD-Abgeordnete

Koenen sich *für* eine Streichung des Paragraphen 175 aus. Andere Parteien äußerten sich in dieser Reichstagsdebatte nicht zum Thema! Zur weiteren Beratung gelangte der Entwurf nun in den Strafrechtsausschuß. Kaum hatte dieser jedoch mit seiner Arbeit begonnen, als der Reichstag aufgelöst wurde. Das WhK dazu: „Wir haben mit Freuden davon Kenntnis genommen." Neuwahlen wurden für den 20. Mai 1928 angesetzt. Inständig hoffte man im Komitee, daß neue Mehrheiten günstigere Voraussetzungen für den Kampf bringen würde.

Bis zu diesem Termin verließ sich das Komitee jedoch nicht aufs Hoffen: „Das Komitee vertritt die Interessen von schätzungsweise 1 bis 1½ Millionen Deutscher, auf jeden Fall von hunderttausenden von Wählern." Dieser Satz stammte aus einem Schreiben an die Parteien des noch amtierenden Reichstags, worin das WhK sie im Rahmen des Wahlkampfes bat, ihre Ansichten zu den Forderungen des Kartells zu präzisieren. Das Ergebnis war durchwachsen: die Haltung von SPD und KPD blieb klar für die Streichung; DNVP, DVP, NSDAP und Bayrische Volkspartei antworteten nicht, das christliche Zentrum schickte eine Drucksache, in der die folgende Passage rot angestrichen war: „Den Gefahren der geistigen und moralischen Zersetzung des Volkslebens tritt die Zentrumspartei mit allem Nachdruck entgegen. Die Volkssittlichkeit ist die Quelle der Volksgesundheit und der Nährboden aller kulturgestaltenden Kräfte. Die Familie muß als Keimzelle der menschlichen Gemeinschaft und als wesentlichste Lebensbedingung der Kultur gesund erhalten werden. Die mütterliche und heimgestaltende Kraft der Frau in Familie und Volksleben ist als unersetzbares Volksgut zu hüten."

Zusammen mit den rechten Splitterparteien verfügte diese „Ablehnungs-Front" noch im 3. Reichstag über eine knappe Mehrheit der Mandate. Wackelig blieb die liberale Deutsche Demokratische Partei (DDP, später DStP), der übrigens auch Theodor Heuss, später Bundespräsident der Bundesrepublik Deutschland, angehörte. Ihre gedrechselte Antwort enthielt weder ein deutliches Ja noch ein klares Nein. Bei einer solchen parteipolitischen Zusammensetzung des Strafrechtsausschusses des 3. Reichstags bestand durchaus die reale Gefahr, daß die verschärfende Fassung des amtlichen Entwurfs eine Mehrheit finden würde. Falls dies wirklich eintreten sollte, hatte das WhK allerdings durch eine taktische Maßnahme dafür gesorgt, daß die Frage im nächsten Reichstag nochmals verhandelt werden konnte. Das Mittel dazu bildete jene Petition, die bereits im Jahre 1897 zum erstenmal an prominente Personen des öffentlichen Lebens verschickt worden war. Sie bot die Möglichkeit, über den Petitionsausschuß die Frage im Reichstag nochmals aufzurollen. „Die Petition", so erklärte der Vorstand im Oktober 1927 den Mitgliedern, „ist also eine Art Rückversicherung und bei der gegenwärtigen politischen Konstellation von ungeheurer Bedeutung." Bis Herbst 1927 unterschrieben der spätere Reichskanzler Hermann Müller, Ministerpräsident a. D. Paul Hirsch, Hugo v. Hoffmannsthal, Sigmund Freud, Karl Kraus, Reichsminister a. D. Dr. Otto Landsberg, die Staatsminister a. D. Siering und Dr. K. Rosenfeld, Reichsminister a. D. Wilhelm Sollmann, die Professoren Heinrich Zille, Max Slevogt, Theodor Lessing, Eduard Ritter v. Liszt, die Industriellen Robert Bosch, Carl Mannesmann und viele andere.

Die „Rückversicherung" brauchte jedoch nicht in Anspruch genommen zu werden, denn die Wahlen zum 4. Reichstag ergaben am 20. Mai einen deutlichen Linksruck. SPD und KPD verfügten jetzt zusammen über 207 (42 Prozent) der insgesamt 491 Sitze, die alte Koalition nur noch über 180 (37 Prozent). Der große Wahlverlierer (30 Sitze weniger) war die rechte DNVP. Mit 12 Sitzen blieb der Einfluß der NSDAP auch in diesem Reichstag noch gering. Eine „Große Koalition" (SPD, DDP, DVP) unter der Kanzlerschaft Hermann Müllers (SPD) bildete die Regierung, deren Justizminister Koch am 4. September 1928 Magnus Hirschfeld und einen weiteren Vertreter des WhK zu einer „ausführlichen Aussprache" im Ministerium empfing. Das Ergebnis des Gesprächs wurde später auf seiten des Komitees „als befriedigend" eingestuft. Gleichzeitig brachten die Komitee-Vertreter eine Versicherung des Ministers mit, daß der zuständige Sachbearbeiter des Reichsjustizministeriums mit dem Institut für Sexualwissenschaft persönlich Fühlung aufnehmen werde, „um sich über das vorhandene wissenschaftliche Material ausführlich zu informieren". Das geschah noch im gleichen Monat. In einem dreistündigen Gespräch trugen mehrere Obmänner und Mitglieder des WhK die Argumente gegen eine Beibehaltung des Paragraphen 175 vor und schilderten ihre persönlichen Erfahrungen als Homosexuelle. Diese „informatorische Konferenz", so die „Mitteilungen" des WhK, bedeutete „einen Schritt nach vorwärts".

Am 3. Dezember 1928 kam auch die Delegation einer nicht näher genannten „großen Reichstagspartei" ins WhK, die bisher den Bestrebungen des Komitees ablehnend gegenüberstand. Ziel dieses Besuches war es, „das von uns ins Feld geführte urkundliche und wissenschaftliche Material nachzuprüfen, und mit Personen Rücksprache zu nehmen, die homosexuell sind und gleichzeitig den Anschauungen der betreffenden Partei nahestanden". Um welche es sich dabei handelte, wurde nicht mitgeteilt. Da aber das Zentrum wegen seiner ideologischen Bindung an die christliche Weltanschauung („die verfluchte mosaisch-paulinische Anschauung", Hiller) sich als kaum flexibel in ihrer Haltung zur Homosexualität erweisen konnte und daher wohl als Besucher eines solchen Ortes der Sünde ausschied, blieb nur die rechtsliberale DVP. Abgeordnete dieser Partei stimmten im Reichstag schon mal gelegentlich gegeneinander, so daß sie im besonderen Blickfeld des WhK liegen mußte.

Vor dem Hintergrund „der gegenwärtigen kritischen Kampfeslage" war es am 1. Dezember 1928 auch zu einer „freundschaftlichen Aussprache" zwischen dem WhK und Adolf Brand, dem wohl bekanntesten Vertreter der homosexuellen Vereinigung „Gemeinschaft der Eigenen" gekommen. Dabei wurde vereinbart, daß „Herr Brand sich inskünftig ganz seiner künstlerischen Arbeit widmen will" und daß zwischen den „beiden führenden Organisationen im homosexuellen Befreiungskampf" laufend eine gemeinsame Verständigung in taktischen Fragen angestrebt wird.

Versehen mit dem Vermerk „Streng vertraulich!" richtete der Komitee-Vorstand im Juni 1928 nochmals einen dramatischen

Appell an die Mitglieder. Es fehlte wieder an Geld. Schon seit 1926 bettelte der Vorstand bei den Mitgliedern um finanzielle Unterstützung seiner Öffentlichkeitsarbeit. Diesmal wurde der Ton der Aufforderung zu Spenden allerdings deutlich schärfer und nahm fast verbitterte Formen an: Es gäbe Tausende von Homosexuellen, hieß es, die sich „in den besten Vermögensverhältnissen“ befänden und „trotz zahlreicher und eindringlicher Ermahnungen keinerlei Anstalten treffen, unseren Befreiungskampf zu unterstützen; sie sehen vielmehr untätig zu und beschränken ihre Tätigkeit darauf, von den Erfolgen zu profitieren...“ Die Gesamtmitgliedschaft des WhK müsse fordern, „daß die wohlhabenden Homosexuellen sich auf ihre Pflicht besinnen und den Kulturkampf des Komitees... materiell unterstützen“. Doch auch dieser, wohl letzte Appell, fruchtete wenig. Insgesamt wurden vom Beginn der Kampagne im Sommer 1926 bis August 1929 den ausgedruckten „Quittungen“ in den „Mitteilungen“ entsprechend nicht mehr und nicht weniger als 2376 Mark eingenommen! Eine klägliche Summe, wenn berücksichtigt wird, daß jedes WhK-Mitglied (ihre Anzahl ist leider nicht bekannt) ständig aufgefordert wurde, vorgefertigte Sammellisten „bei geselligen Zusammenkünften, Festlichkeiten und dgl. zirkulieren (zu) lassen“. Erklärlich werden diese mageren Einnahmen wohl nur aus jenem desperaten Zustand, den das WhK als grundsätzliches Problem der Homosexuellen ansah, nämlich „daß eine große Zahl von Gesinnungsfreunden unserer Bewegung fernsteht“. Das euphemistische „unser“ allerdings wäre wohl eher durch ein realistisches „ihrer“ zu ersetzen gewesen...

Die Stunde der Entscheidung begann am 16. Oktober 1929 um 10 Uhr 20. Unter Vorsitz des DVP-Abgeordneten Heinrich Kahl eröffnete der aus 28 Personen bestehende Strafrechtsausschuß des 4. Deutschen Reichstags die Verhandlungen um das weitere Schicksal des 175 StGB. Die stenographischen Protokolle der dreieinhalbstündigen Sitzung liegen in den „Mitteilungen“ des WhK veröffentlicht vor. Besonders aufschlußreich waren die Ausführungen des DNVP-Abgeordneten Strathman. Bekanntlich koalierte diese Partei nach der Machtergreifung mit der NSDAP. Typisch für das Sexualitätsverständnis (auch) dieser „Völkischen“ war die strikte Ablehnung „individualistischer Gesichtspunkte“ bei der Beurteilung von Sexualität. Es sei ihm „unverständlich“, argumentierte Strathman, daß gerade von sozialistischer Seite, bei diesen Fragen immer individualistische Gesichtspunkte geltend gemacht würden. Sexualität sei aber nicht Privatsache, weil auf ihrer Betätigung der Fortbestand der Gemeinschaft beruhe. Wer den Standpunkt vertrete, daß Sexualität Privatsache sei, bekunde damit atavistische Reste eines soziologischen Manchestertums. Ähnlich „klar“ sollte sich später auch Heinrich Himmler in seinen Geheimreden zur Homosexualität äußern.

Der staatliche Zugriff auf die Sexualität der Bürger, der sich ebenso in dem vielbenutzten Staats-Terminus vom „gesunden Volksempfinden“ wie im gültigen Sexualstrafrecht (einschließlich des Paragraphen 218) niederschlug, diente traditionell vor allem der Absicherung der Fortpflanzungsmoral und ihres sozialen Rahmens, der Familie. Homosexualität aber widersprach prinzipiell beiden Interessen. In seinem Beitrag setzte sich Strathman auffallend „modern“ mit den herrschenden wissenschaftlichen Anschauungen zur Homosexualität auseinander und lehnte vor allem die Hirschfeldsche These, wonach es eine Verführung zur Homosexualität *nicht* gebe, strikt ab.

In Erwartung, daß auch bei der aktuellen Diskussion die „Verführungs“-Behauptung ein wichtiges, wenn nicht überhaupt das ausschlaggebende Argument der Reaktion darstellen werde, hatte das WhK noch rasch eine (freilich naturwissenschaftlich begründete) Broschüre veröffentlicht, die die Verführungsthese widerlegte. Strathman, der zugleich die wichtige Position des „Berichterstatters“ im Rechtsausschuß innehatte, stellte denn auch Überlegungen zur Verführbarkeit in den Mittelpunkt seiner Ausführungen. Dabei bediente er sich nicht etwa, wie vielleicht zu erwarten war, biologischer Argumente, sondern entnahm sie, jener „modernen“ Wissenschaft, die eben dabei war, sich an den Universitäten zu etablieren und die ihren „Aufstieg im Schatten der Vernichtung“ (K. H. Roth) erleben sollte: der Psychologie. Die „mechanisch-materialistische Betrachtungsweise" Hirschfelds beruhte, so Strathman, „auf einem völlig veralteten weltanschaulichen Standpunkt". Gerade der Standpunkt der „modernen Psychologie" strebe an, die „psycho-physischen Wechselbeziehungen", also die seelisch-körperlichen Wechselbeziehungen „aufzuhellen", und „die psychologische und pädagogische Erfahrung beweise täglich die große Bedeutung des Erlebnisfaktors bei der Entwicklung der Jugendlichen". Das sei auch für das „vorliegende Gebiet" nicht zu bestreiten. Als Kronzeuge wurde zunächst der Psychologe und Freud-Schüler Alfred Adler (1870–1937) herangezogen, der in seinem Buch „Praxis und Theorie der Individualpsychologie" (es war *1927* in der 3. Auflage erschienen, heute als Taschenbuch in einer Auflage von 40000 Exemplaren verbreitet) die naturwissenschaftlich begründeten Theorien Hirschfelds ablehnte und – so Strathman – „das entscheidende Gewicht auf psychologische Verursachung und psychologische Behandlung der Homosexualität (lege)".

Besonderen Wert maß der DNVP-Abgeordnete darüber hinaus den Ansichten des Psychologen Placzek (1866–193?) bei, dessen Buch „Das Geschlechtsleben der Menschen" 1926 in der 2. Auflage herausgekommen war. Da Placzek für die *Aufhebung* des Paragraphen eintrat und zugleich „die Verführungsgefahr sehr hoch" veranschlagte, galt er Strathman „als unvoreingenommener Beurteiler" der Homosexualität. Als „Berichterstatter" erklärte er diese Gefahr den Abgeordneten des Strafrechtsausschusses durch mehrere Zitate aus Placzeks Buch. Danach sei jedes Individuum „ab origine bisexuell veranlagt". Dies führe dazu, daß „der Erlebnisfaktor in der Pubertät" um so wichtiger werde, „als in dieser Zeit der zielunklaren Triebrichtung homosexuelle Empfindungen bei Knaben und Mädchen nicht selten sind..." Äußere Einflüsse wirkten daher richtungsgebend „in einer für das ganze spätere Leben ausschlaggebenden Weise".

Stand dem Strafrechtsausschuß von 1909 noch keine wissenschaftliche Theorie zur Absicherung der damals bereits als gefährlich behaupteten „Nachstellungen und Verführungsversuche" der Homosexuellen zur Verfügung und wurde Hirschfelds

These der „angeborenen Homosexualität" damals nur allgemein und als „mit den Erfahrungen des praktischen Lebens im Widerspruch stehend" abgelehnt, so lieferte jetzt die Psychologie der DNVP die erforderliche wissenschaftliche Rechtfertigung zur Aufrechterhaltung des Paragraphen. Die Rolle der Wissenschaft in der Argumentation für oder wider die Bestrafung homosexuellen Verkehrs blieb somit die eines staatlichen Hof-Narren. Man bediente sich ihrer Argumente jeweils nach realpolitischer Interessenlage.

Hauptinteresse in der Sexualgesetzgebung der konservativen Parteien blieb die Erhaltung der generativen „Volkskraft". Die volkstümliche Floskel, wonach Sexualität „Privatsache" sei, enthüllte sich vor einem solchen Hintergrund als demokratischer Schein. Ohne viel wissenschaftliches Beiwerk stellten Vertreter der Zentrumspartei im Ausschuß denn auch fest, „daß die Lehre von Hirschfeld geradezu Homosexuelle züchte" (Guerand) und „daß die Homosexualität in dem jetzt erreichten Umfange und ihren Erscheinungsformen öffentliche Interessen aufs tiefste berührte". Dieser „Krebsschaden am Volkswohl" müsse im Sinne einer „Generalprävention" verurteilt werden, da Homosexualität nicht nur „dem gesunden Volksempfinden widersprechen würde", sondern auch im Interesse „der Erhaltung der Familie, der Ehe und der Volkskraft" bestraft werden müsse (Schetter).

Gegen die Verschärfung und für die Streichung bzw. eine strafmildernde Reform argumentierten die Vertreter der DDP, SPD und KPD. Lediglich die KPD setzte sich voll für die Forderungen des WhK ein. Die drei Abgeordneten der rechtsliberalen DVP votierten, wie vom WhK erwartet, gespalten: Zwei für und einer, der Fraktionsvorsitzende Dr. Kahl, gegen die Strafbarkeit. Das Endergebnis blieb äußerst knapp: Lediglich mit einer Mehrheit von zwei Stimmen lehnte der Strafrechtsausschuß die amtliche Vorlage ab und votierte (15 zu 13) für eine Regelung, die die einfache Homosexualität unter Erwachsenen künftig straffrei lassen sollte – sofern der Reichstag zustimmte. Gleichzeitig sollte aber in einem neu in das Strafgesetzbuch aufzunehmenden Paragraphen 296 („Schwere Unzucht mit Männern") der Mißbrauch von Dienst- und Abhängigkeitsverhältnissen, die männliche Prostitution und die „Verführung" von Männern unter einundzwanzig Jahren in leichten Fällen „mit Gefängnis nicht unter 6 Monaten", in schweren „mit Zuchthaus bis zu fünf Jahren" bestraft werden. Verglichen mit dem noch gültigen, aus dem Jahre 1871 stammenden Paragraphen, der allgemein nur „beischlafähnliche" Akte unter Männern kriminalisierte, bedeutete dies eine deutliche Ausweitung des Tatbestands.

Allerdings gelangte der gesamte Entwurf für das neue Strafrecht nicht zur Abstimmung in den Reichstag. Sechs Jahre später aber sollte die vorgesehene Regelung zusätzlich zu einem generell verschärften 175 als 175a in das StGB nationalsozialistischer Prägung aufgenommen werden.

Wenn auch mit einer knappen Mehrheit, so war am Ende der Republik von Weimar immerhin doch die Aufhebung der Bestrafung einvernehmlicher Homosexualität zwischen Erwachsenen vorgesehen, und der „Abstimmungssieg" wurde, wie Kurt Hiller nicht ohne stummen Hinweis auf andere Kreise in seinen Erinnerungen vermerkte, „in Magnus Hirschfelds weitestem Kreise mit Recht gefeiert". Hirschfeld legte nach zweiunddreißigjähriger Tätigkeit für die Rechte der Homosexuellen seinen Vorsitz im WhK nieder und begann eine Weltreise, von der er nicht mehr nach Deutschland zurückkehren sollte.

Die Verhandlungen über das Schicksal des Paragraphen hatten in einer Zeit stattgefunden, in der die erste deutsche Republik von wirtschaftlichen und politischen Katastrophen geschüttelt wurde. Die Weltwirtschaftskrise steuerte ihrem Höhepunkt entgegen, das Heer der Arbeitslosen, 1929 noch 1,6 Millionen, stieg bis zum Jahre 1932 auf 5,5 Millionen, rund ein Drittel der arbeitenden Bevölkerung, an. Die Koalition aus SPD, DDP und VP zerbrach, eine neue kam nicht zustande, die Zeit der Notverordnungen begann und zugleich der Aufstieg der NSDAP, der sich aus der Rechtswendung des Bürgertums nährte.

Als exponierter Vertreter der sexuellen Aufklärung hatte Magnus Hirschfeld den Haß antisemitischer und antihomosexueller Gegner bereits am Anfang der Republik erfahren. Schon 1920 war er nach einem Vortrag in München von völkischen Studenten mit einem Stück Eisen niedergeschlagen und erheblich verletzt worden. Weitere Attentate folgten in den Jahren 1921 und 1923. In der völkischen Presse als „Oberbonze der Perversen" denunziert, galt seine Tätigkeit im rechten bürgerlichen Lager als Indiz für die Dekadenz der Republik. „Homosexuelle als Vortragsredner in Knabenschulen. Magnus Hirschfeld, der ‚Vorkämpfer' für Aufhebung des § 175, darf in deutschen Gymnasien sprechen. Die Zerstörung der Jugend!" – mit diesen Schlagzeilen („Völkischer Beobachter", 31. Oktober 1928) mobilisierte die politische Rechte das „Rechtsbewußtsein im Volke" gegen die Republik. Eine solche Propaganda mochte zuweilen einzelne Regierungsbeamte schon vor 1933 zur lokalen Errichtung eines „Dritten Reiches" ermutigt haben. In Chemnitz etwa erließ die Polizeibehörde im September 1927 eine Verordnung, die bereits deutlich die Ziele der kommenden Verfolgung ankündigte. Der Erlaß ging von der Annahme aus, daß zwei Männer, die in einer Wohnung zusammenlebten, „im dringenden Verdacht gegenseitigen geschlechtlichen Verkehrs stehen", und knüpfte daran den Befehl, binnen 14 Tagen „dieses Zusammenwohnen durch Trennung zu beenden" und von diesem Zeitpunkt an sich „des ferneren Zusammentreffens in einunddemselben Hause ... zu enthalten". Gleichzeitig folgte das Verbot „auf öffentlichen Straßen, Wegen und Plätzen, sowie in den Waldwegen der Stadt, insbesondere aber in den öffentlichen Bedürfnisanstalten zu verweilen, um mit gleichgeschlechtlich Veranlagten oder sich in dieser Beziehung verdächtig machenden Männern näheren Verkehr anzubahnen oder fortzusetzen, gleichgeschlechtlich Veranlagte oder sich in dieser Beziehung verdächtig machende Männer anzulocken, zu beherbergen, mit diesen zusammenzuwohnen oder zu nächtigen". Allerdings mußten die Maßnahmen, wie die „Mitteilungen" des WhK berichteten, im Februar 1928 wieder zurückgenommen werden.

Die Haltung der NSDAP zur Homosexualität ging wohl am deutlichsten aus der Stellungnahme des „Völkischen Beobachters“ zu geplanten Reform des 175 hervor. „Wir gratulieren zu diesem Erfolg, Herr Kahl und Herr Hirschfeld!“ schrieb das Blatt am 2. August 1930. „Aber glauben Sie ja nicht, daß wir Deutschen solche Gesetze auch nur einen Tag gelten lassen, wenn wir zur Macht gelangt sein werden.“ In der Homosexualität seien „alle boshaften Triebe der Judenseele“ versammelt und diese würden „in Kürze“ als solche behandelt: „als allerschwerste, mit Strang und Ausweisung zu ahndende Verbrechen“. Derartig offene Morddrohungen schreckten allerdings mache Homosexuelle keineswegs davon ab, Mitglieder und aktive Kämpfer der NSDAP zu sein. Zu welchen Verdrängungen Homosexuelle fähig waren, davon zeugte der Artikel eines Nationalsozialisten in den „Mitteilungen“ des WhK Anfang 1932. Zur „sachlichen Erörterung der beiderseitigen Standpunkte“ und vor dem Hintergrund des wachsenden parlamentarischen Einflusses der NSDAP hatte die Schriftleitung ihn aufgefordert, den Standpunkt seiner Partei zu erläutern. Das wurde zwar ein Fiasko, doch auch der homosexuelle Nazi fand einen Wissenschaftler, den Philosophen Wundt, dessen Ideen ihm die Widersprüche seiner politischen Existenz zu glätten halfen. So seien die „Triebe“ die „Triebfedern“ für das ganze menschliche Handeln. Was den getriebenen Menschen aber vom treibenden Tier unterscheide, sei seine „Fähigkeit, die Triebe mit Hilfe höherer geistiger Funktionen umzuleiten, zu sublimieren, sie aus der ursprünglich rein körperlichen Betätigung in vergeistigte Bahnen zu lenken“. Und weiter hieß es, nachdem heftige Kritik daran geübt wurde, daß der Kampf gegen den nackten Paragraphen stets im Mittelpunkt der politischen Arbeit des Komitees stand: „Wir lieben den schaffenden Eros; für den koitierenden Eros führen wir keinen Kampf, ohne ihn deshalb etwa zu verachten. Weil wir den Geschlechtstrieb als elementar empfinden, glauben wir, daß ein Teil seiner Kraft getrost sublimiert werden kann. Darum sind wir noch lange keine Verdränger. Im Gegenteil.“ Versehen mit dieser psychologischen „Theorie“ brachte der homosexuelle Nazi weiter vor, daß die Politik des WhK mit ihren Appellen an die Vernunft gescheitert sei, denn es gäbe „nun mal viele Menschen, die sich mehr vom Gefühl als vom

Verstand leiten lassen". Würde der Kampf aber gegen die gesellschaftliche „Verfemung" der Homosexualität geführt, dann wäre es so, daß „die Strafrechtsreform *nebenbei* erledigt worden wäre". Glaubte man seinen werbenden Ausführungen, so gab es in der NSDAP mit der „Verfemung" Homosexueller keine Probleme: „Ich kenne eine ganze Menge Kameraden, von denen ‚man es weiß'. Hauptsache ist, sie tun ihre Pflicht. Was zwei im Heim oder auf dem Heuboden machen, geht uns einen Dreck an. Das ist nicht nur meine persönliche Ansicht, sondern die Meinung aller Parteiinstanzen bis hinauf zum Führer."

Im übrigen gäbe es keine „parteioffizielle Kundgebung" der NSDAP zur Homosexualität und es sei auch „taktisch unklug, fünf Minuten vor der Machtübernahme zu einer kulturpolitisch umstrittenen Frage Stellung zu nehmen ... Auch scheint mir, daß es Knoten gibt, die man besser mit dem Schwert durchschlägt, als dreißig Jahre daran herumzuzausen. Haben wir erst die Macht, so haben wir auch das Recht. Wie das geschriebene Recht aussehen wird, das werden *wir* bestimmen. Es wird sich darunter besser leben lassen als heute. Dafür lege ich meine Hand ins Feuer."

Dem Mann ist sicher nicht nur die Hand verbrannt. Aber immerhin enthielt sein Beitrag wichtige Anhaltspunkte darüber, wie in der SA jener Vorgang ver- und bewertet wurde, der in den Jahren 1931 und 1932 in der gesamten Presse für Schlagzeilen gesorgt hatte: Die öffentlich entdeckte Homosexualität des SA-Chefs Röhm. So verkündete der homosexuelle Nazi in den „Mitteilungen" des kampferprobten WhK stolz: „Adolf Hitler verbot im vorigen Jahr grundsätzlich, über das Privatleben von Parteigenossen oder Kameraden Beschwerde zu führen. Das ist der von links so heftig befehdete ‚Rauhe-Kämpfer-Erlaß', in dem es wörtlich hieß, daß der Führer ‚rauhe Kämpfer' haben wolle und wisse, daß die SA nicht aus ‚höheren Töchtern' bestünde. Der Führer weiß besser als alle anderen, daß die Bataillone der Braunhemden heute die Macht der Partei und morgen die Macht des Staates verkörpern werden. Der materialistischen Unsitte, Bettlakengeschichten breitzutreten, trat er energisch entgegen. Den Spaltpilz des inneren Haders hat er mit Stumpf und Stil ausgerottet. Der Mann und seine *Leistung* gilt. Alles andere ist Nebensache." In völliger Verkennung der wahren Hintergründe jenes Erlasses, glaubte der Schreiber des Artikels darin eine Akzeptanz der Homosexuellen in der NSDAP zu sehen. Einigkeit mit seinem Führer vortäuschend, schrieb er weiter: „Mit was für einer infamen Niedertracht hat man den Chef des Stabes der SA, Pg. Hauptmann Röhm, durch den Schmutz gezogen. In ihm wollte man die gesamte SA treffen. Gerade die, die am lärmendsten für ‚die armen Homosexuellen' eintreten, die Marxisten, haben jede Gelegenheit genutzt, um ihn seiner Homosexualität wegen zu verunglimpfen."

Was war wirklich geschehen? Anfang 1931 hatte Röhm (1887–1935), von einem fast fünfjährigen Aufenthalt in Bolivien zur NSDAP zurückgerufen, wieder die Führung der SA übernommen. Daß Röhm homosexuell verkehrte, dürfte Hitler schon seit mehreren Jahren bekannt gewesen sein. Bereits 1924 war der Reichswehrhauptmann a. D. von einem Stricher bestohlen und der Vorgang polizeilich erfaßt worden. Röhm schien auch recht offen homosexuell aufzutreten. Er verkehrte nicht nur in einschlägigen Kneipen und Treffpunkten, sondern war zugleich auch Mitglied in der homosexuellen Bürgerrechtsorganisation mit dem anspruchsvollen Namen „Bund für Menschenrecht". Aus Bolivien hatte er seinen in Berlin verbliebenen Freunden Briefe geschreiben, von denen zumindest zwei ganz eindeutig Belege für seine sexuelle Orientierung enthielten. Sie gelangten in verschiedene Hände und spätestens dann an die Öffentlichkeit, als ihr Wert auf dem politischen Markt mithelfen sollte, die Frage „Drittes Reich" oder Republik zu entscheiden. Die SPD jedenfalls erhoffte sich von den Enthüllungen über das Geschlechtsleben Röhm und einiger seiner SA-Kumpane eine nachhaltige Schwächung, vielleicht sogar eine Spaltung der NSDAP und begann am 14. April 1931 in ihrer Zeitung „Münchner Post" eine Artikel-Folge, die dazu beitragen sollte, das Thema „Nationalsozialismus und Homosexualität" bis in unsere Tage zu prägen. Ein erster Beitrag, „Stammtisch 175" überschrieben, worin „Heines, Röhm, Zentner und wie sie alle heißen" als homosexuell bezeichnet wurden, endete mit dem Satz „Hitler aber fordert heute Arm in Arm mit den ‚175igern' das Jahrhundert in die Schranken". Im Juni folgte eine längere Enthüllung unter der die ganze erste Seite überziehenden Schlagzeile „Warme Brüderschaft im Braunen Haus. Das Sexualleben im Dritten Reich". Weitere Überschriften in den folgenden Tagen lauteten: „Hitlers Attentat-Ängste. Homosexuellen-Drang zur Futterkrippe", „Das Braune Haus der Homosexuellen. Die homosexuelle Linie von München nach Berlin verlängert" und ähnlich.

Zu Recht wurde in mehreren dieser Artikel „die widerliche Heuchelei" der NSDAP in Sachen Homosexualität angeprangert. Während die NS-Presse auf der einen Seite wüst gegen die vorgesehene Reform des 175 zu Felde zog und sie als Werk von Juden und „Marxisten aller Schattierungen" geißelte, herrsche, so die „Münchner Post", in der Hitler-Partei „schamlosester Betrieb der widernatürlichen Unzucht". Man wisse, hieß es weiter, „daß sich bei Adolf Hitler die Beschwerdeschreiben zu Bergen häufen". Auszüge aus einem solchen, echten oder gefälschten Beschwerdeschreiben brachte die SPD-Zeitung denn auch einige Tage später. So hatte sich ein Oberleutnant a.D. Paul Schulz in einem längeren vertraulichen Brief an Hitler bitter darüber beklagt, daß es Homosexuelle in führenden Positionen der SA gebe. Seine Zeilen schloß er mit folgender Empfehlung: „Alle die in diesem Bericht erwähnten Führer sind meines Erachtens ... nicht tragbar. Das trifft nicht nur für die Herren mit homosexueller Einstellung zu, sondern auch für Leute wie Brückner und den Reichs-Führer-SS Himmler, die mit ihren Weibergeschichten Anlaß zu fortwährendem Gerede bieten. Weit schlimmer sind die fortwährenden Veröffentlichungen in der Presse, die langsam ein Ausmaß angenommen haben, daß der oberste Führer der NSDAP daran nicht mehr ohne weiteres vorbeigehen kann. Es ist ja mittlerweile so weit gekommen, daß von marxistischer Seite aus die Nachricht kolportiert wird, daß Sie, hochverehrter Führer, auch homosexuell seien."

Die Stoßrichtung der Kampagne wurde durch derartige Veröffentlichungen überaus deutlich. Solange sie nur auf jene Doppelmoral abzielte, mit der die NSDAP gegen jeden Fortschritt in der Sexualgesetzgebung heftig hetzte und zugleich Homosexuelle an prominenter Stelle in den eigenen Reihen duldete, solange mochten die Attacken der SPD vordergründig durchaus eine praktische Variante jenes „Weges über Leichen" darstellen, der in der homosexuellen Bürgerrechtsbewegung seit Anfang des Jahrhunderts immer wieder als Mittel des politischen Kampfes diskutiert worden war. Aber um diesen Weg ging es der SPD durchaus nicht. Bereits im Kaiserreich hatte Hirschfeld Ansinnen der (ihm nahestehenden) Partei stets zurückgewiesen, wenn die SPD-Führung Namen von prominenten Homosexuellen in Regierung und gegnerischen Parteien wissen wollte. Zu Recht, denn jetzt stellt sich heraus, daß die SPD Homosexualität als etwas besonders Verwerfliches ansah, dazu geeignet, dem politischen Gegner das „gesunde Volksempfinden" abspenstig zu machen. „Hier steht", so schrieb die „Münchner Post" am 22. Juni 1931, „unbeschadet jeder Parteirichtung, die moralische und körperliche Gesundheit der deutschen Jugend auf dem Spiel. Was sich in den Reihen der den Lüsten Röhms ausgelieferten nationalsozialistischen Jugend tut, das geht das ganze deutsche Volk an." Homosexualität sei „unchristlich" schrieb die SPD-nahe „Rheinische Zeitung", sozialdemokratische Mitglieder des Reichsbanners „Schwarzrotgold" verbreiteten Klebezettel mit der Aufschrift „Fort mit Hitler, dem Gendarmen und mit Röhm, dem Warmen" und Überschriften in sozialdemokratischen Blättern wie „Eltern, hütet Eure Söhne vor ‚körperlicher Vorbereitung' in der Hitlerjugend" („Alarm", 28. April 1932) ließen nur zu deutlich vermuten, daß die SPD ihre bisher vertretenen Positionen zur Homosexualität aufgegeben hatte.

In einem Brief an den Hauptvorstand der SPD fragte denn auch das WhK an, ob die SPD wirklich die gegebene Zusage enthalten werde, für eine Streichung des 175 einzutreten. Die Antwort lautete „Ja", denn die Partei habe „den Fall Röhm nur deshalb ausgenutzt, weil die Nationalsozialisten Anhänger der Strafbestimmungen gegen die Homosexuellen sind und weil sie (die SPD) auch an diesem Fall die Heuchelei der Partei beleuchten wollte, die die Homosexuellen zu Verbrechern stempeln will und einen von ihnen in maßgeblicher Stellung beläßt". In Wirklichkeit hatte die „röhmische" Kampagne der SPD am Vorabend der NS-Machtergreifung dazu beigetragen, das „gesunde Volksempfinden" gegen die Homosexualität zu mobilisieren. Obwohl die Enthüllungen subjektiv das Ziel hatten, den Nationalsozialismus aufzuhalten, begünstigten sie doch objektiv die ab 1933 einsetzende Politik der Nazis gegen diese Minderheit. Zugleich aber hatte die Kampagne noch eine andere Wirkung: Sie nährte in den Arbeiterbewegungen den Verdacht, daß die Gruppe der Homosexuellen besonders anfällig für die Verheißungen der Nazis sei. Ob diese Politik sich in der Praxis auszahlte, muß bezweifelt werden. Zumindest schlug sie sich nicht in einem höheren Wahlergebnis nieder. Schon seit 1930 war der Anteil der SPD-Stimmen im Reichstag kontinuierlich zurückgegangen: Von 24,8 Prozent (1930) über 21,9 Prozent (31. Juli 1932) auf 20,7 Prozent (6. November 1932).

Die zweite Partei der Arbeiterbewegung, die KPD, hatte sich dagegen im wesentlichen aus den schlimmsten Auswüchsen der Affäre herausgehalten. Kurt Hiller schrieb dies vor allem Richard Linsert zu, der ja nicht nur Mitglied der KPD war, sondern zugleich durch seine Zusammenarbeit mit den preußischen Landtagsabgeordneten Kippenberger und Willi Münzenberg über einigen Einfluß in der Partei verfügte. Vor allem seinem unermüdlichen Einsatz, so Kurt Hiller weiter, sei es zu verdanken gewesen, daß im Strafrechtsausschuß „gerade die KPD (nur sie!) sich ganz auf den Standpunkt unsres Komitees gestellt hat". Aber auch die KPD ließ in der Röhm-Affäre Töne anklingen, die dazu geeignet waren, Faschismus und Homosexualität als Synonyme erscheinen zu lassen. So hatte die Partei schon in ihrem Zentralblatt „Rote Fahne" vom 28. Oktober 1927 verkündet, daß „im allgemeinen" Homosexualität „als unproletarisch" gelte. Was im Konkreten und zu diesem Zeitpunkt auch immer darunter zu verstehen gewesen sein mochte, erste Anzeichen für die spätere Gleichsetzung von Homosexualität und Faschismus zeigten sich denn auch 1932 schon deutlicher. In einem Artikel der kommunistischen Tageszeitung „Berlin am

Morgen", der sich u.a. von der Verleumdung Homosexueller distanzierte, hieß es: „Die Hitlerkamarilla ist auf dem Boden homosexueller Veranlagung und Heuchelei gewachsen." Schon wenige Jahre später sollten solche Äußerungen zentraler Bestandteil des antifaschistischen Kampfes der von den Nazis verbotenen KPD werden.

Tabelle 2: Vergehen nach § 175 StGB 1918 bis 1933

Jahr	Rechtskräftig Abgeurteilte	Verurteilte
1918	157/3[1]	118
1919	110/10	89
1920	237/39	197
1921	485/86	425
1922	588/7	499
1923	503/31	445
1924	850/12	696
1925	1225/111	1107
1926	1126/135	1040
1927	911/118	848
1928	731/202	804
1929	786/223	837
1930	732/221	804
1931	618/193	665
1932	721/204	801
1933	778/213	853

[1] Die erste Zahl gibt die Fälle der „widernatürlichen Unzucht" zwischen Männern, die zweite die Fälle der „widernatürlichen Unzucht" zwischen Mensch und Tier (Bestialität) an.
Quelle: Baumann, a.a.O., Seite 59f

Hitler allerdings hatte sich aus taktischen Gründen in seinem „Rauhe-Kämpfer-Erlaß" schützend vor Röhm und seine Clique gestellt, und selbst Heinrich Himmler gab eine Erklärung zugunsten des SA-Chefs ab. Darin hieß es: „Der Zweck dieser Angriffe ist, den Stabschef Röhm, der den Juden und ihren Knechten seit Bestehen der Partei der unangenehmste und gefürchtetste Führer der SA. und SS. ist, in seiner Stellung zu erschüttern... Wer unsere Führer angreift, greift die Partei an...! SA.- und SS.-Kameraden, klärt die Verbreiter der Lügen

auf und gebt den Verleumdern die richtige Antwort." „Fünf Minuten vor Machtübernahme" ließ sich die NSDAP auch nicht mehr durch eine Mobilisierung des „gesunden Volksempfindens" gegen die Homosexuellen in ihren Reihen auseinanderdividieren. Am 4. Januar 1933 kam es im Hause des Bankiers Schröder zu einer Vereinbarung zwischen Hitler und dem deutschnationalen Reichskanzler a. D. von Papen über eine gemeinsame Regierungsbildung. Am 22. Januar erteilte Reichspräsident von Hindenburg sein Einverständnis zur Berufung Hitlers als Reichskanzler und zu Neuwahlen. Damit war das Schicksal der Republik von Weimar besiegelt.
Die Verurteilungen nach Paragraph 175 hatten, wie *Tabelle 2* zeigt, in den ersten Jahren der Republik durchschnittlich unter 500 gelegen. Nach der Ablösung der „Weimarer Koalition" (1924) stiegen sie jedoch schlagartig auf 1107 (1925) und 1040 (1926) an, um sich schließlich bis zum Ende der Republik bei etwa 800 Verurteilungen jährlich einzupendeln. Trotz dieser, im Vergleich zum Kaiserreich durchschnittlich höheren jährlichen Verurteilungsziffern, ging für die homosexuelle Minderheit mit der Republik von Weimar eine Epoche zu Ende, deren demokratische Verfassung ihnen erstmals grundlegende bürgerliche Rechte zugestand.

4. Zwischen KZ und Skalpell

Warum die Nazis Homosexuelle zu „Staatsfeinden" erklärten (1933–1945)

„Mit einem Schlage wurde es anders in Deutschland. Aller Schmutz und Schund verschwand aus der Öffentlichkeit. Die Straßen unserer Städte wurden wieder sauber." Mit diesen Worten würdigte Adolf Sellmann, Chronist des „Westdeutschen Sittlichkeitsvereins", den Machtantritt der NSDAP. Der Verein, schon seit fünfzig Jahren für „Volkssittlichkeit und Volkskraft" aktiv, sah sich 1933 am Ziel seines Kampfes angekommen. „Bevölkerungspolitik im besten Sinne des Wortes", bescheinigte er der Regierung und begrüßte enthusiastisch die neuen Bestimmungen, mit deren Hilfe die arische Rasse von nun an tausend Jahre lang vermehrt und veredelt werden sollte.

Über die programmatischen Details dieser Politik hatte sich Hitler in seinem „Kampf" schon während der Landsberger Festungshaft ausführlich Gedanken gemacht: „Der völkischen Weltanschauung muß es im völkischen Staat endlich gelingen, jenes edle Zeitalter herbeizuführen, in dem die Menschen ihre Sorge nicht mehr in der Höherzüchtung von Hunden, Pferden und Katzen erblicken, sondern im Emporheben der Menschen selbst." Der „völkische Staat" habe „die Rasse in den Mittelpunkt des allgemeinen Lebens zu setzen. Er hat für ihre Reinerhaltung zu sorgen. Er hat das Kind zum kostbarsten Gute des Volkes zu erklären. Er muß dafür Sorge tragen, daß nur, wer gesund ist, Kinder zeugt." Das stand in „Mein Kampf" und jetzt, da die NSDAP die Macht errungen hatte, begann das „edle Zeitalter" sogleich. Rassenhygieniker, Erbbiologen und Menschenzüchter aller Art sahen ihre Stunde gekommen.

Nur die staatlich überwachte Eheschließung bot eine wirksame Kontrolle der Rassenqualität des „kostbarsten Gutes". Da-

Karikatur aus „Der Stürmer" 7/1929

her durfte die Ehe im Nationalsozialismus „nicht Selbstzweck" sein. Sie mußte, auch das stand in „Mein Kampf", ausschließlich „der Vermehrung und Erhaltung der Art und Rasse dienen. Nur das ist ihr Sinn und ihre Aufgabe." Sexualität oder gar die Ehe zwischen den zu Ariern erklärten Deutschen und deutschen Staatsbürgern „fremder Rasse" wurde als „Rassenschande" verboten und alsbald mit „Schutzhaft" bestraft. Auch Sexualität außerhalb der arischen Ehe galt als gefährlich: An jeder Straßenecke lauerte die Syphilis! Auf fast zwanzig Seiten seiner Kampfschrift hatte Hitler die qualitätsmindernde Wirkung der Syphilis auf die Zuchtresultate beschworen. Nur die monogame arische Ehe bot Schutz davor. Mit Hilfe des „Gesetzes zur

Bekämpfung der Geschlechtskrankheiten" verbot man sogleich die Straßenprostitution. Jetzt wurden die Ansteckungsketten unterbrochen, die Stundenhotels geschlossen und zugleich auch die Lokale der Homosexuellen. Wenig später erging eine Verordnung gegen unzüchtige Schriften, Abbildungen und Darstellungen, ein Verbot der Nacktkulturbewegung sowie ein Erlaß Görings an die Polizeibehörden, gegen die Aufstellungen von Verhütungsmittel-Automaten vorzugehen.

Diesem ersten Schub von Verordnungen waren schnell jene bevölkerungs- und familienpolitischen Maßnahmen gefolgt, die die Menschenproduktion und ihren sozialen Rahmen sichern sollten. Sie umfaßten Gesetze zur Verhütung erbkranken Nachwuchses und gezielte Maßnahmen zur Förderung der Eheschließung und des Eigenheimbaus. Dazu gehörten Junggesellensteuer und Mutterkreuze, großzügige Gewährung von Ehestandsdarlehen und Kindergeld, die restriktive Anwendung des Paragraphen 218 StGB ebenso wie eine Neufassung des Paragraphen 175 StGB. Alle Gesetze dieser Art zielten, wie Hitler es ausdrückte, darauf ab, „aus diesem Volke die wertvollsten Bestände an rassischen Urelementen nicht nur zu sammeln und zu erhalten, sondern langsam und sicher auch zur beherrschenden Stellung emporzuführen". Der vorgesehenen Produktionssteigerung bei den „wertvollsten Beständen" stand die Ausmerzung des rassisch für „minderwertig" erklärten Lebens sowie die Vernichtung von Juden und Zigeunern gegenüber.

Freilich blieb die bevölkerungspolitische Aufrüstung nicht allein innenpolitischer Selbstzweck. Ihre Erfüllung fand sie im außenpolitischen Programm der NS-Regierung. In „Mein Kampf" hatte Hitler 1925/26 ein expansives Konzept entworfen, dessen Kernstück, die Eroberung „neuen Lebensraums im Osten", eine der kontinuierlichen, großen Leitlinien der NS-Außen- und Kriegszielpolitik darstellte. Später, im Januar 1942, als die deutsche Wehrmacht auf russischem Boden stand und im Zuge der sowjetischen Gegenoffensive schwere Verluste hinzunehmen hatte, äußerte sich Hitler über den politischen Zusammenhang von Menschenproduktion und Krieg: „Unsere Rettung ist das Kind! Wenn uns dieser Krieg eine Viertel-Million

Tote und 100000 Verkrüppelte kostet, sind sie uns in dem Geburtenüberschuß wiedergeschenkt, den das deutsche Volk von der Machtübernahme an aufweisen kann." Tatsächlich gab es real weder jenen Geburtenüberschuß, noch blieb die Zahl der Kriegstoten und -versehrten auch nur annähernd bei der angegebenen Zahl. Was in Wirklichkeit existierte, war die grenzenlose Barbarei eines Systems, das den Menschen bis hinein in die Intimsphäre seinen politischen Zielen unterwarf.

Im Jahre 1933 ging es der NSDAP zunächst noch darum, die errungene Macht zu sichern, vor allem jede Opposition niederzumachen. Hierbei halfen der NSDAP vor allem Homosexuelle – zumindest stand es so im „Braunbuch über Reichstagsbrand und Hitlerterror", das 1933 von der Exil-KPD herausgegeben wurde. Was war geschehen? Am Abend des 27. Februar 1933 brannte der Reichstag. Das Feuer war kaum ausgebrochen, da eilten Hitler, Göring, Goebbels und andere NS-Größen zur Brandstelle, und Hitler verkündete: „Das ist ein von Gott gegebenes Zeichen, niemand wird uns daran hindern, die Kommunisten mit eiserner Faust zu vernichten." Nur wenige Stunden später begann eine Verhaftungswelle, die den Auftakt zur Vernichtung der radikalen Opposition bildete. Die Brandlegung wurde den Kommunisten, der Linken insgesamt, in die Schuhe geschoben, und schon am nächsten Morgen unterschrieb Reichspräsident von Hindenburg jene berüchtigte „Notverordnung zum Schutz von Volk und Staat", die zur „Abwehr kommunistischer, staatsgefährdender Gewaltakte" die wichtigsten demokratischen Grundrechte der Republik außer Kraft setzte. Die Notverordnung, wenige Tage vor den Wahlen zum 8. Deutschen Reichstag erlassen, bot der NSDAP hervorragende Möglichkeiten zum Ausbau ihrer Macht.

Noch in der Brandnacht hatten SA- und SS-Trupps die Redaktionen der kommunistischen und sozialdemokratischen Presse besetzt und die Auslieferung der Morgenausgaben verhindert. Während die Zeitungen der Arbeiterbewegung sich von nun an nicht mehr äußern durften, begann auf der Rechten eine beispiellose Hetzkampagnie gegen die Opposition. In Extrablättern, im Rundfunk, auf Plakaten und in Ministerreden wurde verkündet: Die Kommunisten haben den Reichstag angesteckt! Der Brand ist der Auftakt zu Aufstand und Bürgerkrieg!

Obwohl die Wahlen vom 3. März 1933 der NSDAP einen bedeutenden Stimmenzuwachs brachten, reichten die Mandate der Sozialdemokraten und Kommunisten dennoch fast bis an jenes „Sperrdrittel“ heran, mit dem das „Ermächtigungsgesetz“ hätte aufgehalten werden können. Sollten in dieser Situation, so berechneten NSDAP-Taktiker, nur fünfzehn Abgeordnete aus dem bürgerlichen „Mittelblock“ gegen das Gesetz stimmen, so würde es scheitern. In dieser Situation verbot die Koalition aus NSDAP und DNVP die Kommunistische Partei. Das „Sperrdrittel“ sank um ihren Anteil, und als die Abstimmung über das zur Diktatur ermächtigende Gesetz am 23. März 1933 erfolgte, ging es mit riesiger Mehrheit durch. Einzig die Sozialdemokraten, deren Fraktion allerdings durch Flucht und Verhaftung bereits geschwächt war, stimmte dagegen. Das Gesetz ermächtigte Hitler, in Zukunft ohne die Mitwirkung des gewählten Parlaments Verordnungen mit Gesetzeskraft, auch mit verfassungsänderndem Charakter zu erlassen. Daß die Nazis dieses diktatorische Instrument jemals wieder aus der Hand geben würden, war von einer Partei nicht im Ernst anzunehmen, die bereits einen mißlungenen Putschversuch (1923) hinter sich und deren Führer immer wieder öffentlich betont hatte, daß eine „Machtergreifung“ nur und ausschließlich auf legalem Wege erfolgen sollte.

Als Brandstifter war noch am Tatort der vierundzwanzigjährige niederländische Rätekommunist Marinus van der Lubbe verhaftet worden – nur er, dem niemand glaubte, die Tat allein durchgeführt zu haben. Für das rechtsbürgerliche Lager stand fest, daß Lubbe im Auftrag und mit Hilfe der KPD gehandelt habe. In jenem „Braunbuch über Reichstagsbrand und Hitlerterror“ behauptete dagegen die KPD im August 1933, Lubbe sei das Werkzeug der Nationalsozialisten gewesen. Das Buch, innerhalb weniger Wochen in 17 Sprachen übersetzt und in einer Auflage von mehreren Hunderttausend verbreitet, kam am 1. August 1933 in Paris heraus und „zeigte der Welt“, so heißt es im Vorwort eines Reprints des bundesdeutschen Röderberg-Verlags aus dem Jahre 1978, „erstmals das wahre Gesicht des deutschen Faschismus“. In dem Bemühen, eine schlüssige Darstellung der Brandstiftung zu geben und zugleich dem politischen Gegner auch sexuelle Abartigkeit anzudichten, wurde Lubbe als homosexuell und als „Lustknabe“ Röhms dargestellt. Gerade der Umstand, daß die Polizei nur ihn allein im brennenden Reichstag aufgegriffen hatte, ließ phantasievollen Raum über Hintermänner zu. Von ihnen wußte das „Braunbuch“ zu berichten: „Es wäre ein leichtes für sie gewesen, van der Lubbe mitzunehmen und zu ‚retten‘. Aber van der Lubbe *durfte nicht ‚gerettet‘ werden.* Van der Lubbe ist für die Tat von den homosexuellen SA-Führern, die in der Brandstifterkolonne mitmarschierten, als Werkzeug empfohlen worden. Durch seine Person sollte bei der Brandstiftung der Kommunismus dargestellt werden.“

Damit wurde der Reichtstagsbrand mit seinen verheerenden Folgen als Ergebnis einer homosexuellen Verschwörung interpretiert. Um die aufgestellten Behauptungen zu beweisen, fertigte man ein „Psychogramm“ des Brandstifters an, worin „van der Lubbes Leben bis ins Einzelne beleuchtet“ wurde. Unter Verwendung verschiedenster Theorien und allerlei merkwürdig belegter „Tatsachen“ fand man heraus, daß der aus „kleinbürgerlichen“, aber ärmlichen Verhältnissen stammende junge Mann sich vergeblich bemüht habe, zum echten Proletarier zu werden. Unfähig zur Assimilation in die revolutionäre Klasse, sei er in der Jugendorganisation des „klassenbewußten Proletariats“, das heißt der niederländischen KP, als „fremdes Element“ empfunden und schließlich ausgeschlossen worden. Neben einer „merkwürdigen Weichheit, wie sie bei Homosexuellen oft zu finden“ sei, habe daneben „noch ein Hang zu lügen und übertreiben“ bestanden, kurz, er sei „seinem ganzen Wesen nach homosexuell.“ Seine weitere Entwicklung ergab sich, zumindest in jener Darstellung, automatisch: Der Homo griff die KP auf Veranstaltungen an, wurde zum bösen Antikommunisten. In Wirklichkeit hatte er sich nur einer anderen, konkurrierenden revolutionären Strömung, dem Rätekommunismus, angeschlossen. Das aber berichtete das „Braunbuch“ nirgendwo. Vielmehr habe ihn seine Homosexualität unmittelbar zurück ins Kleinbürgertum und damit direkt in die Kreise gleichveranlagter und ebenfalls kleinbürgerlicher Nazis geführt. Ein Dr. Bell sei es gewesen, angeblich „Röhms Vertrauter in Liebesdingen“, der den jungen Mann schließlich auf der Straße aufgriff und in die homosexuelle SA-Clique einführte. Im „Braunbuch“ wußte man es genau: „Es kann kein Zweifel bestehen, daß van der Lubbe, jedenfalls in den letzten Monaten 1932, den nationalsozialistischen Verlockungen erlegen war. Der enttäuschte Kleinbürger hatte ‚heimgefunden‘.“ Zusammen mit „den homosexuellen SA-Führern“ sei schließlich das Komplott zur Vernichtung der Organisationen der deutschen Arbeiterbewegung und zur entscheidenden Festigung der NS-Diktatur durchgeführt worden.

Im Prozeß gab van der Lubbe an, er habe die Brandstiftung auf eigene Faust vorgenommen, um die deutschen Arbeiter zum Widerstand gegen den Nationalsozialismus aufzurütteln. In einem „Rotbuch“, das die Genossen seiner rätekommunistischen Organisation noch vor Prozeßbeginn in Holland herausbrachten, wurden zwar jene „Braunbuch“-Behauptungen erstmalig widerlegt, doch fand es wegen seiner geringen Auflage und der politischen Interessenlage nur wenig Verbreitung. Erst durch die Nachforschungen des Sozialdemokraten Fritz Tobias nahm Ende der fünfziger und zu Beginn der sechziger Jahre eine größere Öffentlichkeit zur Kenntnis, daß van der Lubbe weder von faschistischen noch kommunistischen Hintermännern gesteuert wurde. Als in den siebziger Jahren ein „Internationales Komitee zur Wissenschaftlichen Erforschung der Ursachen und Folgen des Zweiten Weltkrieges“ versuchte, Teile der im „Braunbuch“ aufgestellten Unwahrheiten zu retten, wiederlegte sie Karl-Heinz Janßen in der „Zeit“ (September/Oktober 1979) gründlich. Horst Karasek schließlich veröffentlichte 1980 eine Biographie van der Lubbes und ging dabei auch den Behauptungen von jener Homosexualität nach: Sie waren frei erfunden.

Warum? Homosexualität war in Teilen der kommunistischen Presse schon vor 1933 als „unproletarische“ Erscheinung gewertet und während der ersten Röhm-Affäre sogar als Nährboden der „Hitlerkamarilla" bezeichnet worden. Nach dem Reichstagsbrand setzte sich die „Linie", wonach Homosexualität die dem Nationalsozialsmus eigentümliche Form der Sexualität sei, konsequent durch. Es fällt auf, daß sich in der Sowjetunion, die immerhin 1917 die Bestrafung der Homosexualität weitgehend zurückgenommen hatte, das politische Klima gegen Homosexuelle nach der Machtergreifung des Nationalsozialismus erheblich verschärfte. 1934 wurde dort der Homosexuellen-Paragraph wieder eingeführt, und gleichzeitig begann eine rigide Verfolgung der Minderheit. Wilhelm Reich sah diese Maßnahmen in einem nicht näher erläuterten „Zusammenhang mit dem Vorgehen anläßlich der Röhm-Affäre 1932–1933". Die Sowjetpresse jedenfalls startete im Frühjahr 1934, ein halbes Jahr, nachdem das „Braunbuch" herausgekommen war, einen Feldzug gegen Homosexualität als „Entartungserscheinung der faschistischen Bourgeoisie". So verfaßte der bekannte Sowjetjournalist Kolzow eine Artikel-Serie, in der er von den „warmen Brüdern des Propagandaministeriums Goebbels" und von den „sexuellen Orgien in den faschistischen Ländern" sprach. In einem Artikel des Dichters Maxim Gorki in der „Prawda" vom 23. Mai 1934, überschrieben mit „Proletarischer Humanismus", hieß es: „Das Gedächtnis sträubt sich dagegen, auch nur jener Abscheulichkeiten zu gedenken, die der Faschismus so üppig produziert." Gemeint war auch Homosexualität. Weiter schrieb er: „Während in den Ländern des Faschismus (also auch in Italien – Anm. d. Verf.) die Homosexualität, die die Jugend verdirbt, ungestraft agiert, ist sie im Lande, wo das Proletariat kühn und mannhaft die Staatsmacht erobert hat, als ein soziales Verbrechen erklärt und wird streng bestraft. In Deutschland ist schon ein geflügeltes Wort entstanden: Rottet die Homosexuellen aus, und der Faschismus ist verschwunden."

Die Ausrottung der „Entarteten" besorgten die Nationalsozialisten im Deutschen Reich bereits selbst, ohne daß dabei ihr System verschwand. In der Sowjetunion wurde aber fast gleichzeitig mit dem Homosexuellen-Paragraphen auch das zunächst gelockerte Abtreibungsverbot wieder eingeführt und die Ehescheidung erschwert. Dieses bevölkerungspolitische Maßnahmenpaket läßt vermuten, daß die Machtergreifung der NSDAP unmittelbare Auswirkungen auf die Innenpolitik der Sowjetunion und dies wiederum eine Rückwirkung auf die im Untergrund arbeitende deutsche KP hatte. Der plötzliche Kursschwenk der KPD in der Homosexuellen-Frage und die nun beginnende Gleichsetzung von Homosexualität und Faschismus deuten auf eine propagandistische Unterstützung der innen- und außenpolitischen Interessen der Sowjetunion hin. Denn gegen sie richtet sich das von Hitler in seinem „Kampf" öffentlich dargelegte Konzept vom „Lebensraum im Osten", das er Generalen der Deutschen Reichswehr schon wenige Tage nach der Machtergreifung, am 3. Februar 1933, nicht nur „mit militärgeographischen und ernährungspolitischen Argumenten, sondern auch mit dem Hinweis auf die Wirtschaftskrise" (Joachim C. Fest) persönlich erläutert hatte.

Die Tatsache, daß die KPD, wie übrigens auch die meisten anderen Moskau-zentrierten kommunistischen Parteien seit dem Erscheinen des „Braunbuches" in jedem Homosexuellen einen potentiellen Faschisten erblickte, hat ihr Verhältnis zu dieser Minderheit noch bis weit in die siebziger Jahre bestimmt. Selbst in der parteipolitisch unorganisierten Linken hält sich, unter Einbeziehung vor allem psychologistischer Interpretationen von „Männerbünden", die Gleichsetzung von Faschismus und Homosexualität bis in unsere Tage. So wurde noch im Jahre 1987 in der Berliner „Tageszeitung" (taz) behauptet: „Besser noch als jede sozioökonomische Faschismustheorie kann eine Deutung der nationalsozialistischen Bewegung als ‚erotisches Phänomen' ihren Erfolg erklären." Gleichzeitig wußte der Autor sechzig Jahre nach Erscheinen jenes bewußten Artikels in der „Roten Fahne" (wieder) zu berichten: „Es kann kein Zweifel daran bestehen, daß die nationalsozialistische Bewegung – vor allem in ihrer Formationszeit in den zwanziger Jahren – in entscheidender Weise geprägt und getragen wurden von der eigentümlichen Dynamik der männerbündlerischen Homosexualität." Auch die Röhmaffäre von 1935 und der Beginn der bisher in der neueren deutschen Geschichte schlimm-

Plünderung des Instituts für Sexualwissenschaft durch die SA am 6. Mai 1933 (Foto: Ullstein Bilderdienst)

sten Homosexuellen-Verfolgung findet in jenem psychologistischen Weltbild eine soziosexuelle Erklärung: „Die blutige Episode ... ist vielmehr ein typischer Fall von Homosexuellen-Verfolgung, zu der nur Homosexuelle imstande sind, die um ihre Respektabilität fürchten müssen." (taz 24. November 1987) Theorien dieser Art verkennen nicht nur die historischen Ursachen der Homosexuellen-Verfolgung allgemein, sondern bleiben vor allem in einem sexualdenunziatorischen Interesse befangen. Es ist ebenso ein Irrtum anzunehmen, die Verfolgung der Homosexuellen im Dritten Reich sei der Homophobie (Angst vor Homosexualität) eines „Männerstaates" entsprungen und somit als „Angstabwehr" latent homosexueller Bedürfnisse der NS-Führungs-Eliten anzusehen. Tatsächlich ist die Verfolgung nicht nur älter als der Nationalsozialismus und *dessen* „Männerbünde", sondern setzte sich auch nach 1945 ungebrochen fort. Die Strukturen und häufig auch die juristischen Begründungen für die Verfolgung blieben seit Gründung des

Deutschen Reichs bis weit hinein in die Bundesrepublik Deutschland prinzipiell stets ähnlich. Was die Zeit des Dritten Reichs hervorhebt, ist die terroristische Übersteigerung der Verfolgung unter einem rigiden Primat der „Menschenproduktion" auf rassenhygienischer Grundlage und dem Willen zu einer „Endlösung" der Homosexuellen-Frage. Da Homosexuelle in der bürgerlichen Sexualideologie prinzipiell als „Kranke und Kriminelle" angesehen wurden, erlitten sie im Rahmen jenes Primats das gleiche Schicksal wie alle jene, die aus dem Muster der Rassenzüchtungsmoral herausfielen. Die Übersteigerung der traditionellen Fortpflanzungsmoral zur Zuchtmoral bestimmte das typisch Nationalsozialistische an der Homosexuellen-Verfolgung in der Zeit von 1933 bis 1945.

Das Ende der „Bürgerrechtsbewegung der Homosexuellen" im Dritten Reich verlief lautlos. Bis heute ist es nicht möglich, konkrete Angabe über die Details der Auflösung zu erfahren. Sie löste sich einfach auf, ihre Protagonisten verschwanden nach der Devise „Bloß nicht anecken" in der Anonymität und schützenden Vereinzelung. Das WhK, dies ist bekannt, löste sich durch eigenen Beschluß auf, um einem Verbot zuvorzukommen. Überliefert dagegen ist das Schicksal des „Instituts für Sexualwissenschaft". Am Vormittag des 6. Mai demolierten nationalsozialistische Studenten der Berliner Hochschule für Leibesübungen das Institut, nahmen zunächst einige hundert Bücher mit, ehe am Nachmittag ein SA-Trupp anrückte und die gesamte Bibliothek, 12000 Bände, auf Lastwagen abfuhr. Zusammen mit anderen Werken „undeutschen Geistes", darunter die von Hirschfeld, Freud, Einstein, Thomas und Heinrich Mann, Stefan Zweig, Bert Brecht, Marx und Engels, insgesamt 10000 Zentner Bücher und Zeitschriften, wurden sie am Abend des 10. Mai auf dem Berliner Opernplatz unter den Klängen des „Deutschlandliedes" öffentlich verbrannt.

Bei der Plünderung des Instituts hatte die SA immer wieder nach dem Aufenthalt Hirschfelds gefragt, und als man erfuhr, daß er sich wegen einer Malaria-Erkrankung im Ausland aufhielt, geantwortet: „Na, dann krepiert er hoffentlich auch ohne uns; dann brauchen wir ihn ja nicht erst aufhängen und totschlagen." So wurde denn nur der Kopf seiner Büste, auf einer Stange mitgetragen, ins Feuer geworfen. Er selbst starb am 14. Mai 1935 im Exil in Frankreich. Gestorben, Anfang Februar 1933, war auch Richard Linsert. Kurt Hiller, am 23. März erstmals verhaftet, dann im Juni in das KZ Oranienburg eingeliefert, gelang später die Flucht, zunächst nach Prag, dann nach London. Dr. Kronfeld, Mitarbeiter am Institut für Sexualwissenschaft, noch in der Nacht des Reichstagsbrandes verhaftet und in „Schutzhaft" genommen, flüchtete nach seiner Entlassung nach Moskau und starb dort 1942 durch Selbstmord.

Obwohl die besondere Kategorie „homosexuell" bereits im Herbst 1933 im KZ Hamburg-Fuhlsbüttel eingeführt wurde und es in einem Protokoll der Innenbehörde der Hansestadt hieß, man solle auch besonders auf „Transvestiten" achten und sie „erforderlichenfalls in das Konzentrationslager überführen", setzte die systematische Verfolgung Homosexueller auf Reichsebene in größerem Umfang erst ein, nachdem die juristischen und organisatorischen Voraussetzungen dazu im Jahre 1935 geschaffen worden waren. Propagandistisch vorbereitet wurde sie jedoch schon im Zuge der zweiten Röhm-Affäre.

Die Differenzen zwischen Hitler und Röhm ergaben sich nicht nur aus dem Konkurrenzverhältnis der SA zur Reichswehr, sondern vor allem wegen Röhms laut ausgesprochenen Gedanken über eine „Zweite Revolution", einer „Revolution", die auch die Belange der „kleinen Leute" wahrnehmen sollte. Röhm über den „Führer": „Er verrät uns alle. Er geht nur noch mit Reaktionären um. Hitler wird ein feiner Gent." Darin drückten sich jene sozialen Spannungen aus, die in der NSDAP seit ihrer Gründung schwelten und jetzt, etwas mehr als ein Jahr nach der Machtergreifung, zu einer Lösung drängten. Am 24. Juni 1934 waren die Würfel gefallen. Hitler hatte sich zur Liquidierung der SA-Spitze entschlossen. „Um einem Putsch der SA zuvorzukommen", wie später überall verkündet wurde. In Wirklichkeit gab es keinerlei Putschvorbereitungen. Trotz „arischen Naturtriebs" witterten Röhm und seine Mannen auch keinerlei Gefahr. Am frühen Morgen des 30. Juni wurden die Ahnungslosen im Bett verhaftet und bald darauf liquidiert. Für die NSDAP, so vermerkte Eugen Kogon, stellte dieser Tag die „ersehnte Gelegenheit“ dar, „den Durchbruch zur Errichtung des SS-Staats zu vollziehen“. Dem erstaunten Volk freilich blieben die wirklichen Hintergründe des „Röhm-Putsches“ unbekannt. Die Mordaktion wurde als Befreiungsschlag gegen die drohende Gefahr einer Machtübernahme durch „krankhafte Individuen“ dargestellt. Über die gleichgeschalteten Medien ließ Hitler verbreiten, daß von einer „bestimmt eingestellten Clique“ versucht worden sei, „zwischen SA und Partei sowohl wie zwischen SA und Staat Keile zu treiben und Gegensätze zu erzeugen“. Röhm habe das alles gefördert und: „Seine bekannte unglückliche Veranlagung führte allmählich zu so unerträglichen Belastungen“, daß ein unverzügliches „Einschreiten zur rücksichtslosen Aufräumung dieser Pestbeule“ notwendig wurde. Von Lustknaben war die Rede und von „ekelhaftesten Situationen“, denen der Führer persönlich und couragiert entgegengetreten sei. In Zukunft jedenfalls wolle er es „nicht mehr dulden, daß Millionen anständiger Menschen durch einzelne krankhaft veranlagte Personen belastet und kompromittiert werden“. Deutlicher noch hieß es dann in einem Tagesbefehl Hitlers an den neuen SA-Chef Lutze: „Ich möchte insbesondere, daß jede Mutter ihren Sohn in SA, Partei und HJ geben kann, ohne dort sittlich oder moralisch verdorben zu werden. Ich wünsche daher, daß alle SA-Führer peinlichst darüber wachen, daß Verfehlungen nach § 175 mit dem sofortigen Ausschluß des Schuldigen aus SA und Partei beantwortet werden.“ Hier kündigten sich die ersten „Säuberungsaktionen“ gegen die Homosexuellen in den Reihen der NSDAP an. Die Mobilisierung des gesunden Volksempfindens freilich übernahm das Reichspropaganda-Ministerium selbst. Goebbels in einer Rundfunkrede: „Wir wünschen die Mitarbeit des ganzen Volkes, von arm und reich, von hoch und niedrig ... Pestbeulen, Korruptionsherde, Krankheitssyptome moralischer Verwilderung ... werden ausgebrannt, und zwar bis aufs Fleisch.“ Goebbels verbreitete auch, der Führer sei „erschüttert“ gewesen, als er jetzt von der Homosexualität Röhms erfuhr. „Wie wird es den Führer erst treffen“, fragte der politische Witz im Dritten

Reich sogleich, „wenn ihm mitgeteilt wird, daß Goebbels einen Klumpfuß hat?"

Die Verschleierung der tatsächlichen politischen Hintergründe der Affäre klappte vorzüglich. „Die große Masse des Volkes", schrieb ein geheimer Berichterstatter der Untergrund-SPD an die nach Prag emigrierte Parteileitung, „ist tatsächlich so idiotisch, daß sie sagt: ‚Hitler ist doch ein ganzer Kerl, der durchgreift'." „Das persönliche Ansehen des Führers", hieß es in weiteren Berichten, sei sehr gewachsen, „man findet sein Vorgehen schneidig und großartig", er habe „stark an Vertrauen und Sympathie gewonnen", er wolle „eine saubere Umgebung". „Grade auch bei den Arbeitern hat das Prestige Hitlers durch die Aktion nicht gelitten", hieß es, und selbst „frühere SPD-Genossen und -Funktionäre äußerten sich dahin, daß Hitler energisch durchgreife, wenn ihm Schweinereien bekannt würden". In einem dieser geheimen Berichte wurde denn auch Volkesstimme über die entdeckte Homosexualität Röhms mit den Worten wiedergegeben: „Das hat doch die SPD seit fünf Jahren gesagt." Tatsächlich mußte dem Volk die Tat Hitlers als eine verspätete Erfüllung der SPD-Forderungen aus den Jahren 1930/31 erscheinen. So beklagte sich denn auch einer der Verfasser der geheimen SPD-Berichte verwundert über den Beifall, den die Hitler-Aktion aus der Arbeiterschaft erhielt: „Erstaunlich ist, wie schnell selbst Arbeiter vergessen haben, daß Hitler nicht nur alles gewußt, sondern durch die sozialdemokratische Propaganda der letzten Jahre auf diesen Sumpf aufmerksam gemacht wurde." Beide Parteien, so unterschiedlich sie auch in ihrer Stellung zur demokratischen Republik gewesen sein mochten, schöpften hier aus den gleichen trüben Quellen des gesunden Volksempfindens.

Die NSDAP nutzte die aufgeführten Emotionen gegen die Homosexualität 1934 sogleich zur Vorbereitung der Verschärfung des Paragraphen 175 wie auch zum Aufbau eines geheimen, zentralen Erfassungsapparates für Homosexuelle. Am 24. Oktober 1934 ging bei allen deutschen Polizeidienststellen ein verschlüsseltes Rundtelegramm ein. Absender: Geheime Staatspolizei. Auftraggeber: „Der politische Polizeikommandeur". Verantwortlich für den Inhalt: Heinrich Himmler. Das Telegramm enthielt den Auftrag zur Anfertigung „einer namentlichen Liste sämtlicher Personen, die sich irgendwie homosexuell betätigt haben". Dazu sollte eine „Abschrift der bereits vorhandenen Karteien" vorgenommen und diese beim „Geheimen Staatspolizeiamt, Berlin II, I. Sonderdezernat" eingereicht werden. Diese Anordnung löste die erste *zentrale* Erfassungsstelle für Homosexuelle aus. Sie nahm Ende Oktober 1934 als „Sonderdezernat Homosexualität" ihre Arbeit auf. Eine Woche später, am 1. November, folgte ein Zusatztelegramm, das den Auftrag spezifierte. Und zwar wollte die Gestapo jetzt wissen, ob die Polizei „Kenntnis von homosexuellen Verfehlungen, insbesondere von politischen Persönlichkeiten" hätte. Sie seien „unter Voransetzung der politischen Organisation" zu melden, wobei auch nach „Beruf, Mitglied der NSDAP oder einer NS-Organisation" gefragt wurde. Was die Nachfragen im einzelnen erbrachten, ist nicht bekannt. Deutlich wurde hier jedoch, daß die Erfassung in dieser Phase der NS-Herrschaft nicht nur weiter auf eine Säuberung der eigenen Reihen von Homosexuellen zielte, sondern daß zugleich nach verwertbaren Informationen zur sexuellen Denunziation politischer Gegner gesucht wurde. Immerhin war die Gleichschaltung zwanzig Monate nach der Machtergreifung noch nicht in allen gesellschaftlichen Bereichen abgeschlossen, so daß der Vorwurf der Homosexualität dabei noch gute Dienste zu leisten versprach.

Als Mittel zur Ausschaltung von Gegnern blieb die Waffe der Sexualdenunziation während des gesamten Dritten Reichs geschärft. Eines ihrer prominentesten Opfer wurde der Oberbefehlshaber des Heeres, Generaloberst Freiherr von Fritsch. Seine Denunzierung basierte auf den Aussagen eines berufsmäßigen Chanteurs, der angab, auch einen homosexuellen General von Fritsch erpreßt zu haben. Einen ersten Vorstoß Himmlers gegen den General wies Hitler zunächst noch ab. Er brauchte von Fritsch für die Durchführung der Aufrüstungspläne und befahl daher die Vernichtung der kompromittierenden Akte. Erst als das Interesse an den militärischen Fähigkeiten des Reichswehr-Mannes erlosch, erinnerte sich Hitler wieder des

Vorgangs. Anlaß dazu gaben militärtechnische Einwände, die von Fritsch und andere Generale gegen das Eroberungsprogramm Hitlers am 5. November 1937 vorbrachten. Jetzt wurde die Akte „aufgearbeitet", das heißt, aus dem Schreibtisch Heydrichs, Chef des Sicherheitsdienstes, unversehrt zutage gefördert. Gleichzeitig mit der Entlassung von Fritsch wechselte Hitler die gesamte Wehrmachtsspitze aus, übernahm das Oberkommando selbst und besetzte alle wichtigen Positionen mit Personen seines Vertrauens. Damit gerieten, kaum zwei Jahre vor Ausbruch des Krieges, alle Macht- und Einflußgruppen in den Streitkräften unter die Kontrolle der NSDAP. Erst als dieser Gleichschaltungsprozeß abgeschlossen war, kam heraus, daß alle Anschuldigungen gegen Fritsch auf einer Verwechslung beruhten.

Auch gegen die katholische Kirche wendete die NSDAP das Mittel der sexuellen Verleumdung heftig an. Sie sei „eine ‚Brutstätte' der widernatürlichen Unzucht", ein Ort „haarsträubender Sittenverwilderung", eine einzige „Sexualpest im Priesterrock". Goebbels benutzte diese Worte 1937 während einer Rede in der Deutschland-Halle, um einen Propaganda-Feldzug gegen die römische Kirche zu eröffnen. Anlaß dazu bot ihm ein päpstliches Rundschreiben, worin „mit brennender Sorge" nicht nur die zahlreichen Konkordatsverletzungen von seiten des NS-Staats aufgeführt, sondern zugleich herbe Kritik an den nationalsozialistischen Grundwerten von Rasse, Volk und Staat geübt worden war. Den Konflikt mit dem Vatikan hatten die zuständigen NS-Stellen allerdings bereits erwartet und daher schon seit Jahren geeignetes Material zusammengetragen, das man nun gezielt unter das Volk brachte. Vorwiegend in den katholischen Reichsteilen wurden in großer Auflage Broschüren mit Enthüllungen über „Sittlichkeitsverbrechen" von Priestern und Mönchen verteilt, und das Justizministerium gab per Verfügung am 9. April 1937 grünes Licht für „die im vorigen Jahr zurückgestellten Prozesse gegen katholische Geistliche und Ordensangehörige wegen sittlicher Verfehlungen". Begleitet von einer ausführlichen Berichterstattung führte man den Gläubigen nun in zahlreichen Schauprozessen vor, was in den

Klöstern „wirklich vor sich ging". Allein von den fünfhundert Mönchen des Franziskaner-Ordens, so ein NS-Bericht, wurden 276 wegen „schwerer Sittlichkeitsvergehen" verurteilt. Mit diesen Zahlen sollten nicht Einzelfälle belegt werden. Vielmehr ging es darum, die „völlige Sittenverderbnis" in den Klöstern vorzuführen.

Daß bei der ganzen Aktion die Erfahrungen der Röhm-Affäre Pate gestanden hatten, wurde durchaus nicht verschwiegen. Goebbels: „Die Partei hat hier ein klares und deutliches Beispiel gegeben. 1934 wurden über 60 Personen, die in der Partei – gerade wie dies in den Klöstern und in der Geistlichkeit geschieht – dieses Laster zu züchten versuchten, kurzerhand erschossen. Wie dankbar können wir dem Führer sein, daß er diese Pest ausrottet."

Spektakuläre Prozesse und Enthüllungen über Homosexualität hatten neben dem unmittelbar angestrebten Effekt, nämlich die Person aus ihrer Stellung zu vertreiben, stets noch einen weiteren: Sie festigten das „gesunde Volksempfinden" und sicherten so die Massenverfolgung der Homosexuellen zugleich propagandistisch ab. *Tabelle 3* zeigt, daß in manchen Städten sofort nach der Machtergreifung eine Intensivierung der Strafverfolgung durch Polizei und Staatsanwaltschaften einsetzte. Besonders in Hamburg machte sich das „veränderte Rechtsbewußtsein" bereits vor der Anpassung des Paragraphen an die Ziele der NS-Politik deutlich bemerkbar.

Tabelle 3: Die Zahl der im Bereich der Polizeipräsidien Chemnitz, Dresden, Hamburg, Leipzig und München zur Anzeige gebrachten Fälle der „widernatürlichen Unzucht". (*Klare*, R.: Homosexualität und Strafrecht, Hamburg 1937, S. 146)

	1932	1933	1934	1935	1936
Chemnitz	–	19	23	47	144
Dresden	–	70	59	128	120
Hamburg	103	370	659	359	1059
Leipzig	–	108	296	301	351
München	–	115	134	145	186

Blättert man allerdings das Fachblatt der Zunft, die „Juristische Wochenschrift", im Hinblick auf richterliche Entscheidungen zum Paragraphen 175 durch, so fällt auf, daß von 1933 Seite 1 bis 1935 Seite 2732 keine einzige Entscheidung zur einfachen Homosexualität vorliegt. Offenbar wollte kein Richter den kommenden höchsten Entscheidungen vorgreifen und damit ein Risiko für die weitere Karriere eingehen. Als mit dem „Gesetz zur Änderung des Strafgesetzbuches vom 28. 6. 1935" der Pragraph 175 schließlich neu gefaßt und durch einen Paragraphen 175a (Schwere Unzucht) erweitert wurde, genügte nunmehr eine Handlung, „die das geschlechtliche Scham- und Sittlichkeitsgefühl der Allgemeinheit verletzt und bestimmt ist, eigene oder fremde Geschlechtslust zu erregen".

Das war so allgemein gefaßt, daß selbst eine Umarmung unter Männern unter den Strafbestand des 175 fiel, wenn „die Allgemeinheit" darin eine „wollüstige Absicht" erblickte. Bald jedoch stellte sich das Problem, ob eine körperliche Berührung überhaupt vorliegen müsse, und schließlich wurde auch diese Begrenzung fallengelassen: „Es genügt als Objekt der männliche Körper in rein optisch erigierender Funktion." So entschied das Reichsgericht 1938 und meinte damit, daß ein Blick unter Männern, wenn erigierend, wollüstig und unzüchtig, ausreichte, um den Tatbestand des Paragraphen 175 zu erfüllen.

Was nun genau unter Unzucht zu verstehen war, mochte in der Realität schwer faßbar sein. Auf dem Papier aber gelang es. Als Unzucht, so hieß es in Schönkes kommentierendem „Strafgesetzbuch", galten alle Handlungen, „die objektiv nach gesunder Volksanschauung das Scham- und Sittlichkeitsgefühl in geschlechtlicher Beziehung verletzen und subjektiv in wollüstiger Absicht vorgenommen werden. Die objektive oder die subjektive Seite genügt für sich alleine nicht; maßgebend ist vielmehr der Eindruck, den ein Beobachter hätte, dem die Handlung in ihrer ganzen Bedeutung, sowohl das körperliche Tun als auch die Gesinnung und Willensrichtung des Täters bekannt ist... Die wollüstige Absicht gehört bereits zum Begriff der Unzucht, nicht erst zum subjektiven Tatbestand." Diese weite „Unzuchts"-Definition entsprach durchaus den bevölkerungspolitischen Zielen, die das Regime anstrebte. So begann denn auch die Begründung zu dem neuen Unzuchtsparagraphen mit den Worten: „Der neue Staat, der ein an Zahl und Kraft starkes, sittlich gesundes Volk anstrebt, muß allem widernatürlichen geschlechtlichen Treiben mit Nachdruck begegnen. Die gleichgeschlechtliche Unzucht zwischen Männern muß er besonders stark bekämpfen."

„Der wesentlichste Mangel des bisherigen § 175 StGB" bestünde darin, hieß es in einem den neugefaßten Paragraphen kommentierenden Aufsatz der „Deutschen Justiz" (35, S. 994), „daß nur beischlafähnliche Handlungen getroffen wurden, so daß Staatsanwaltschaft und Polizei gegen offensichtlichen gleichgeschlechtlichen Liebesverkehr zwischen Männern nicht einschreiten konnten". Die „Lücke" sei nun ausgefüllt, „indem jede Unzucht zwischen Männern unter Strafe gestellt wird". Die weite Fassung des Tatbestands sei notwendig, so in einem „Bericht über die Arbeit der amtlichen Strafrechtskommission", um „das Laster des gleichgeschlechtlichen Verkehrs wirksam bekämpfen zu können". Homosexualität sei ein „Angriff auf die völkische Sittenordnung, die Gefährdung der richtigen sittlichen Haltung des Volkes". Mit Blick auf die Republik von Weimar hieß es, das alte Recht habe „der sittlichen Verwilderung, die bis vor kurzem ins deutsche Volk hineingetragen wurde und sich namentlich in den Großstädten öffentlich breit machte", nicht entgegengewirkt. Die neue Regierung und „die nationalsozialistische Revolution" verhelfe nun „auch der gesunden sittlichen Haltung zum Durchbruch, zu Kraft und Verbreitung" und räume „in kürzester Zeit mit der ständigen Vergiftung der sittlichen Atmosphäre, mit Pornographie und Verwandtem in Presse, Schrifttum, Kunst und öffentlichen Darbietungen auf". Die Rechtsprechung, insbesondere die Strafbemessung, zeuge „von Verständnis für ihre Aufgabe".

So wunderte es denn auch nicht, daß 1935 im Strafrechtsausschuß „ohne Ausnahme die Ansicht (bestand), daß die Strafwürdigkeit einer Erörterung gar nicht bedürfe". Erörtert freilich wurde die Ausdehnung des 175 auch auf Frauen, was jedoch schließlich verworfen wurde, unter anderem mit der Begründung: „Bei Männern wird Zeugungskraft vergeudet, sie scheiden zumeist aus der Fortpflanzung aus, bei Frauen ist das nicht oder zumindest nicht im gleichen Maß der Fall." Zudem entziehe sich „das Laster" bei Frauen „viel mehr der Beobachtung", es sei „unauffälliger, die Gefahr der Verderbnis durch Beispiel also geringer". Zwar könne auch bei Männern „das Bestehen einer Anlage nicht strafrechtlich bekämpft werden", aber immerhin doch „ihre Betätigung", denn „die Möglichkeit hemmungsloser Hingabe an sie würde die Verbreitung der Seuche und die Vertiefung ihrer Auswirkungen ganz außerordentlich fördern". Der in der Unzuchts-Definition erwähnte fiktive Beobachter sollte dabei „die gesunde Volksanschauung, d.h. die Ansicht des sittlich empfindenden deutschen Menschen" sein. In der Praxis übernahm diese Rolle weitgehend die Polizei. Im Zuge der allgemeinen Neuorganisation der Kriminalpolizei im Jahre 1936 wurde nämlich auch zugleich eine spezielle, geheim arbeitende Zentralstelle geschaffen, in der alle Meldungen über homosexuelle Handlungen gesammelt wurden. Nach der Anpassung des Paragraphen erhielt das staatliche Verfolgungsinstrumentarium mit der Errichtung dieser „Reichszentrale zur Bekämpfung der Homosexualität und der Abtreibung" ihren Höhepunkt und zugleich auch einen vorläufigen Abschluß. Das Gründungsdokument, im Auftrag Himmlers am 10. Oktober 1936 von Heydrich unterzeichnet, trug den Vermerk „Geheim" und offenbarte im Zusammenhang mit später ergangenen Durchführungsrichtlinien besonders deutlich die politischen Ziele der Homosexuellenverfolgung im Dritten Reich. Dabei erfolgte die Zusammenlegung der beiden Delikte nicht zufällig. Beides, Homosexualität wie auch Abtreibung, bedeutet eine Privatisierung von Sexualität bzw. ihrer Folgen. Die strafrechtliche Ahndung der Abtreibung verlief (nicht nur in der neueren) deutschen Geschichte stets parallel zur Kriminalisierung der Homosexualität. Wurden die Homosexuellen als „bevölkerungspolitische Blindgänger" verfolgt, so gründete das Abtreibungsverbot ebenfalls in der staatlichen Forderung nach Menschenproduktion. „Die erhebliche Gefährdung der Bevölkerungspolitik und Volksgesundheit", hieß es in dem Gründungserlaß der Reichszentrale, „erfordert mehr als bisher eine wirksame Bekämpfung dieser Volksseuchen". „Zentrale Erfassung" und „wirksame Bekämpfung nach einheitlichen Richtlinien" bildete daher den Hauptzweck der beim Preußischen Landeskriminalpolizeihauptamt in Berlin eingerichteten Geheimstelle. Dazu wurde das im Oktober 1934 eingerichtete „Sonderdezernat Homosexualität" in ein „Sonderreferat II S" der Geheimen Staatspolizei umgewandelt und mit der Reichszentrale verbunden. Ausdrücklich schrieb der Erlaß vor, daß beide Stellen, „um eine schnelle Zusammenarbeit zu gewährleisten", *einem* Beamten zu unterstehen hatten. Bis 1940 war dies der SS-Offizier Josef Meisinger. Für seine Teilnahme am Hitler-Putsch 1923 mit dem „Blutorden der NSDAP" ausgezeichnet, hatte er im Gefolge Himmlers rasch bei der Gestapo Karriere gemacht, galt in Parteikreisen als „der gefürchtetste Kriminalist" und war später als Kommandeur der Sicherheitspolizei im Distrikt Warschau tätig. Wegen seiner extremen Grausamkeit trug er dort den Beinamen „Der Schlächter von Warschau". Seine Methoden, selbst nach NS-Maßstäben „unglaublich", führten zu einer Untersuchung, an deren Ende Himmler entschied: Standgericht und Erschießen. Davor rettete ihn allerdings Heydrich, Chef der Gestapo, und versetzte ihn als Polizeiattaché nach Tokio, wo Meisinger 1945 von den Amerikanern gefangen, nach Polen ausgeliefert und dort am 3. März 1947 als Kriegsverbrecher hingerichtet wurde.

Zu der erwähnten Zusammenarbeit zwischen „Reichszentrale" und Gestapo kam es immer, wenn der Gemeldete der NSDAP oder einer NS-Ordensgemeinschaft (z.B. SS) der Wehrmacht oder Polizei angehörte, Beamter oder Jude war, „oder wenn es sich um eine Person handelte, die in der Zeit vor der Machtergreifung eine führende Stelle innehatte". Die Bearbeitung aller Delikte unterlag grundsätzlich der örtlich zuständigen Kriminalpolizei. Sie konnte „in besonders dringenden Fällen" bei der nächsten Staatspolizeistelle auch direkt die Einweisung in ein Konzentrationslager beantragen.

Heinrich Himmler, Reichsführer der SS und zugleich Chef der deutschen Polizei, übernahm es im Frühjahr 1937 persönlich, die Leiter der Kriminalpolizei- und Staatspolizeistellen auf einer eigens zusammengerufenen „Arbeitstagung“ in Berlin über die Gefahren der Homosexualität aufzuklären. Laut Protokoll führte er dabei aus: „Die homosexuellen Männer sind Staatsfeinde und als solche zu behandeln. Es geht um die Gesundung des deutschen Volkskörpers, um die Erhaltung und Stärkung der Deutschen Volkskraft.“ Es müsse der Polizei gelingen, „in Zukunft die Fälle der Homosexualität und der Abtreibungen zu verringern, daß der durch diese Delikte verursachte Geburtenausfall auf ein Minimum herabgedrückt würde“. Was den Geburtenausfall betraf, hatte Himmler vor SS-Offizieren bereits am 18. Februar eine Rechnung aufgemacht: „Wir haben in Deutschland nach den neuesten Volkszählungen wohl 67 bis 68 Millionen Menschen, das bedeutet an Männern, wenn ich ganz rohe Zahlen nehme, rund 34 Millionen. Dann sind an geschlechtsfähigen Männern (also an Männern über 16 Jahren) ungefähr 20 Millionen vorhanden. Es kann hier eine Million fehlgegriffen sein, das spielt aber keine Rolle. Wenn ich ein bis zwei Millionen Homosexuelle annehme, so ergibt das, daß ungefähr 7, 8, 10% der Männer in Deutschland homosexuell sind. Das bedeutet, wenn das so bleibt, daß unser Volk an dieser Seuche kaputtgeht. Ein Volk wird es auf die Dauer nicht aushalten, daß sein Geschlechtshaushalt und Gleichgewicht derartig gestört ist. Wenn Sie weiter die Tatsache noch in Rechnung stellen, die ich nicht in Rechnung gezogen habe, daß wir bei einer gleichbleibenden Zahl von Frauen rund zwei Millionen Männer zuwenig haben, die im Krieg gefallen sind, dann können Sie sich vorstellen, wie dieses Übergewicht von zwei Millionen Homosexuellen und zwei Millionen Gefallenen, also rund vier Millionen fehlender geschlechtsfähiger Männer, den Geschlechtshaushalt Deutschlands in Unordnung bringt und zu einer Katastrophe wird.“

Auch zur Privatheit von Sexualität äußerte er sich in dieser Rede: „Es gibt unter Homosexuellen Leute, die stehen auf dem Standpunkt: was ich mache, geht niemanden etwas an, das ist meine Privatangelegenheit. Alle Dinge, die sich auf dem geschlechtlichen Sektor bewegen, sind jedoch keine Privatangelegenheit eines einzelnen, sondern sie bedeuten das Leben und das Sterben eines Volkes, bedeuten die Weltmacht und die Verschweizerung. Das Volk, das sehr viele Kinder hat, hat die Anwartschaft auf die Weltmacht und die Weltbeherrschung." Neben der rassenhygienischen Motivation, das heißt, der Zucht „gesunder Arier", lag hier, in dem Streben der Nationalsozialismus nach Weltmacht und Weltbeherrschung, das bevölkerungspolitische Interesse der NS-Führer an der „Ausmerzung" der Homosexuellen.

Auf der Berliner Arbeitstagung erhielten die untergeordneten Polizeistellen zugleich Anweisungen, wie Homosexuelle aufzuspüren seien. „Der Polizeibeamte, der die Homosexualität mit Erfolg bekämpfen will", hieß es im Protokoll dazu, „muß Fühlung mit allen Bevölkerungsschichten haben. Er muß hellhörig werden und verdächtige Äußerungen der Volksgenossen über vermutlich anormale Männer in geeigneter Weise auf ihre Richtigkeit nachprüfen. Auch wird es sich manchmal empfehlen, zuverlässige und vertrauenswürdige Mittelspersonen zu verwenden. Es muß ihm auf diese Weise gelingen, alsbald sämtliche Personen seines Ortsbezirks kennenzulernen, die als geschlechtlich anormal gelten." Als „geeignete Auskunftspersonen" wurden empfohlen: „die Hotelpförtner, die Gepäckträger auf den Bahnhöfen, die Kraftdroschkenführer, die Aufwartemänner in den Bedürfnisanstalten, die Friseure, insbesondere auf Bahnhöfen und Hotels, die Badewärter". Eine „ständige Kontrolle der Hotelfremden und Pensionsgäste, insbesondere in Sommer- und Winterfrischen" und die „Überwachung des Anzeigenteils der Tageszeitungen in Bezug auf verfängliche Angebote usw." sollte dabei ebenso helfen wie die Sammlung „gelegentlicher Äußerungen von Jugendlichen" über ihre Erzieher in Schulen, Verbänden, Militäranstalten und Klöstern. Auch auf dem Land erhoffte man sich durch Spitzeleien Erfolg: „Gerade in kleineren Gemeinden wird der Homosexuelle seine Veranlagung nicht dauernd verschleiern können." Sämtliche Männer, die „als Homosexuelle erkannt" wurden, waren zunächst „zwecks polizeilicher Behandlung zu sistieren, zu photografieren und daktyloskopieren". Falls der Verdacht auf eine strafbare Handlung bestand, sollten sie, wie das Protokoll weiter vorschrieb, dem Richter vorgeführt werden. Waren jedoch solche Handlungen „*nicht* nachzuweisen, so sind sie keineswegs wieder sofort zu entlassen. Sie sind nach ihrer erkennungsdienstlichen Behandlung eingehend nach Briefen von Gleichgesinnten und Freunden zu durchsuchen, ebenso sind auch ihre Wohnräume einer genauen Revision zu unterziehen." Ergab all das kein belastendes Material, so blieben die Polizeidienststellen angewiesen, die Verdächtigen „weiter zu beobachten und immer wieder zu revidieren".

Wie sich dieses Vorgehen in Reinbek, einem kleinen Ort bei Hamburg darstellte, darüber berichtet H., damals Mitte Dreißig: „Mit einem Schlag setzte eine Verhaftungswelle von Homosexuellen in unserem Ort ein. Als nächster wurde mein Freund verhaftet, mit dem ich seit meinem 23. Lebensjahr befreundet war. Eines Tages erschienen bei ihm Leute von der Gestapo und holten ihn ab. Sich zu erkundigen, wo er geblieben sein könnte, war zwecklos. Wenn das jemand getan hätte, dann hätte die Gefahr bestanden, daß man ihn gleich dabehält, weil er ein Bekannter war, der auch verdächtigt worden wäre. Nach seiner Verhaftung wurde seine Wohnung von Gestapo-Beamten durchsucht. Bücher wurden mitgenommen und besonders Notiz- und Adressbücher beschlagnahmt, in der Nachbarschaft herumgefragt... Die Notiz- und Adreßbücher waren das Schlimmste. Alle die darin vorkamen oder mit ihm zu tun hatten, wurden festgenommen und zur Gestapo zitiert. Ich auch. Ich bin ein ganzes Jahr lang mindestens alle 14 Tage bis drei Wochen auf die Gestapo gerufen und verhört worden... Mein Freund wurde nach vier Wochen Untersuchungshaft wieder entlassen. Auch ihm konnten die Faschisten nichts nachweisen. Doch die Wirkung der Haft war erschreckend. Haare abgeschnitten, völlig verstört, war er nicht mehr das, was er vorher gewesen war... Wir mußten mit allen Kontakten sehr vorsichtig sein. Ich habe alle Beziehungen zu meinen Freunden abgebrochen. Wir gingen uns aus dem Wege, jedenfalls in der Öffentlichkeit, weil wir uns nicht gegenseitig in Gefahr bringen wollten. Homosexuelle Treffpunkte gab es nicht mehr. Wenn ich Leute treffen wollte, fuhr ich nach Hamburg. Das war jedesmal ein konspiratives Unternehmen, denn ich mußte mich vergewissern, daß ich nicht bespitzelt wurde. So ging ich denn auf den Bahnsteig, wartete, bis der Zug kam und ließ ihn abfahren. Wenn ich sah, daß niemand zurückgeblieben war, bin ich dann mit dem nächsten Zug gefahren. Am Berliner Tor bin ich dann ausgestiegen, auf die Straßenbahninsel gegangen und wenn alle eingestiegen waren, bin ich schnell zur U-Bahn gerannt und bin weitergefahren ... Wir haben gelebt wie die Tiere auf freier Wildbahn, den Jäger immer gewittert."

Offensichtlich um eine große, zentral geplante Aktion handelte es sich, als im August 1936 zeitgleich in mehreren Großstädten Razzien gegen Homosexuelle durchgeführt wurden. Einer Meldung der „Nationalzeitung Essen" vom 28. August 1936 zufolge wurde „ein Sonderkommando der Geheimen Staatspolizei zu Säuberungsaktionen in Berlin und vielen anderen Städten eingesetzt".

Auch in Hamburg hatte das Sonderkommando „innerhalb kürzester Zeit eine große Anzahl sogenannter Verkehrslokale ausgehoben. Es wurden dabei einige hundert Personen festgenommen." Weitere Festnahmen, so die Zeitung weiter, ständen bevor, eine „schnelle Aburteilung der Beschuldigten" sei geboten. In Hamburg sei auch ein „Sonderdezernat eingerichtet, das die Anklagen vor einem Schnellschöffengericht erhebt. Die Angeklagten wurden zu Strafen von einem Jahr bis zu einem Jahr acht Monaten Gefängnis verurteilt."

Die Hamburger Behörden gingen, soweit bisher bekannt ist, bei der Verfolgung besonders konsequent vor. Hermann L., der zu dieser Zeit in der Hansestadt lebte, berichtete, die Gestapo habe versucht, „eine systematische Entfernung Homosexueller aus den Großbetrieben vorzunehmen. Zuerst haben sie einige verhaftet und dann unter Druck gesetzt und aus ihnen Geständnisse und die Namen weiterer Schwuler herausgepreßt. Wenn die Gestapo dann genügend Namen zusammen hatte, ist sie eines Morgens im Personalbüro erschienen, hat sich durch die einzelnen Abteilungen führen lassen und die entsprechenden Personen verhaftet. Da sollen allein bei einer Razzia im Alsterhaus etwa fünfzig Schwule verhaftet worden sein. Ähnlich auch in den Hamburger Elektrizitätswerken."

Zumindest im ersten Halbjahr 1938 versorgte die Reichszentrale über die Heeres-Sanitätsinspektionen auch die Truppe regelmäßig mit namentlichen Listen wehrpflichtiger Homosexueller. „Erfaßt sind nur Wehrpflichtige der Jahrgänge 1914 bis 1921", hieß es in einem Begleitschreiben mehrerer Listen vom 12. April 1938. Gemeldet wurde nach drei Kategorien: Strichjungen, „Jugendverführer" und „gewöhnliche Homosexuelle". Von letzteren aber, wie es im Schreiben ausdrücklich hieß, nur solche, „die z. Zt. der Meldung nicht wegen Sittlichkeitsdelikten vorbestraft waren, da sie in diesem Falle aus der Art der Vorstrafe dem Wehrbereichskommando als Homosexuelle bekannt wären und bestimmungsgemäß ihre Dienstpflicht in Sonderabteilungen zu erfüllen hätten". Es handelte sich also um eine prophylaktische Meldung siebzehn- bis vierundzwanzigjähriger Männer, die wegen einer vermuteten Homosexualität in die Register der Reichszentrale gelangt waren. Das Oberkommando des Heeres allerdings mochte ein solches Verfahren nicht akzeptieren. Es teilte der Sanitätsinspektion im September 1938 bündig mit: „Solange eine Bestrafung dieser Jugendlichen nicht erfolgt ist, hat der Wehrbezirkskommandeur ... keinerlei Handhabe, sie zu einer Sonderabteilung auszuheben. Mithin hat eine Registrierung auch in diesem Fall keinerlei Wert."

Erst nach Ausbruch des Krieges, als große Teile der „wehrfähigen" Männer eingezogen wurden, dehnte sich die Verfolgung Homosexueller stärker in diesen Bereich aus. Den statistischen Zusammenstellungen des Oberstarztes bei der Heeressanitätsinspektion Professor Dr. Wuth, die dieser Anfang 1943 in einem Aide-Mémoire vornahm, kommt dabei eine besondere Bedeutung zu. Sie enthalten auch wichtige Angaben für den zivilen Bereich. Es ergibt sich aus diesem Material, daß die Polizei im Jahre 1937 im gesamten Reich 32360 Personen (einschließlich 308 Wehrmachtsangehörige) wegen Homosexualität beschuldigte. 1938 belief sich die Zahl auf 28882 (davon 102 Soldaten) und im 1. Halbjahr 1939 auf 16748 (327 Soldaten). Wuth selbst benutzte den Ausdruck „beschuldigt", da er sich auf Angaben bezog, die ihm die Reichszentrale zur Verfügung stellte. Eine Gegenüberstellung dieser Ziffern mit den von der Kriminalpolizei bearbeiteten Fällen, sowie den laut Reichsstatistik nach Paragraph 175, 175a und b (Sodomie) tatsächlich *verurteilten* Personen zeigt in *Tabelle 4* (die Angaben für das 2. Halbjahr 1939 wurden durch Verdoppelung der Angaben für das 1. Halbjahr vergleichbar gemacht), daß in den drei Jahren von 1937 bis 1939 rund 100000 Menschen in der Reichszentrale erfaßt worden sind, daß gegen ca. ein Drittel Anklage erhoben wurde und daß schließlich jeder Vierte der Erfaßten verurteilt wurde.

Tabelle 4: Ermittlung – Bearbeitung – Verurteilung (1937 bis 1939)

Jahre	von der Gestapo erfaßt	von der Kripo bearbeitet	verurteilt nach §§ 175, 175a und b
1937	32360	12760	8271
1938	28882	10638	8562
1939	33496	10456	7614
	94738	33854	24447

Wie aus dem Aide-Mémoire auch hervorgeht, sollen vom 2. Halbjahr 1939 bis einschließlich des 1. Halbjahrs 1942 „die Erhebungen" der Reichszentrale eingestellt und im 2. Halbjahr 1942 „wieder aufgenommen" worden sein. Einen Grund für diese Unterbrechung gab Wuth nicht an, die Ziffer für die zweite Hälfte des Jahres 1942 mit 4697, darunter 332 Wehrmachtsangehörige. Spätere Daten der Reichszentrale liegen nicht mehr vor bzw. waren nicht verfügbar. Die offizielle Reichsstatistik *(Tabelle 5)* der Jahre 1932 bis 1941 zeigt für das Jahr 1939 deutlich ein Absinken der Verurteilten-Ziffern. Wuth führt das „zum größten Teil auf die Einziehung zur Wehrmacht" zurück.

Werden nun alle diese statistsichen Angaben miteinander verglichen, so reicht die von Wuth angestellte Vermutung nicht aus, daß der deutliche Rückgang durch Einziehungen in die Wehrmacht zustande gekommen sei. Als eine weitere Erklärung gab er an: „Ein Teil der Differenz kann auch darauf zurückgeführt werden, daß seit 1940 jeder Homosexuelle, der

Tabelle 5: Statistik der nach § 175 Verurteilten und der wegen anderer Straftaten von 1932 bis 1941 verurteilten Erwachsenen und Jugendlichen bis zum 18. Lebensjahr gemäß den Angaben des Statistischen Reichsamts. (Quelle: Aide-Mémoire Dr. Wuth, Akten der Hamburger Stiftung für Sozialgeschichte des 20. Jahrhunderts)

	Verurteilte Erwachsene insgesamt	Erwachsene § 175	Verurteilte Jugendliche insgesamt	Jugendliche § 175
1932	564479	801	21529	114
1933	489090	853	15938	104
1934	383885	948	12294	121
1935	431426	2106	17038	257
1936	385400	5320	16872	481
1937	438493	8271	24562	973
1938	335665	8562	19302	974
1939	335162	*8274*	17444	689
1940	264625	*3773*	21274	427
1941	318293	3739	37853	687

Tabelle 6: Kriminalstatistik der Wehrmacht. Die im Zeitraum vom 4. Vierteljahr 1939 bis zum 3. Vierteljahr 1943 nach §§ 175, 175 a verurteilten Soldaten (Heer, Luftwaffe, Marine) und Wehrmachtsbeamten
(Quelle: Aide-Mémoire Dr. Wuth, Akten der Hamburger Stiftung für Sozialgeschichte des 20. Jahrhunderts)

Berichtszeitraum	Strafbare Handlungen	Verurteilte	Offiziere	Unteroffiziere	Mannschaften	Wehrmachtbeamte
4. Vj. 1939	298	273	6	48	219	–
1. Vj. 1940	381	229	4	56	169	
2. Vj. 1940	454	241	6	60	175	–
3. Vj. 1940	492	291	11	64	216	–
4. Vj. 1940	627	373	15	93	265	–
1. Vj. 1941	644	405	11	109	285	–
2. Vj. 1941	792	474	15	124	335	–
3. Vj. 1941	695	451	15	106	327	3
4. Vj. 1941	634	370	9	104	254	3
1. Vj. 1942	691	401	19	100	277	5
2. Vj. 1942	034	031	9	101	270	13
3. Vj. 1942	722	397	15	117	263	2
4. Vj. 1942	606	377	10	118	244	5
1. Vj. 1943	634	412	13	111	280	7
2. Vj. 1943	748	440	27	115	293	5
3. Vj. 1943	470	259	16	56	181	6

mehr als einen Partner verführte, ins KZ überstellt wurde. Die Mindestzahl dieser beträgt seit 1940 – 2248, dürfte jetzt aber etwas höher liegen."

Zwar gab es bereits vor 1940 Einweisungen von Homosexuellen in Konzentrationslager, doch berief sich Wuth hier auf eine Anordnung Himmlers vom 12. Juli 1940. Darin hieß es, daß „in Zukunft alle Homosexuellen, die mehr als einen Partner verführt haben, nach ihrer Entlassung aus dem Gefängnis in polizeiliche Verbeugehaft zu nehmen", d.h. in ein KZ einzuliefern sind. Freilich erklärt dieser Hinweis selbst dann nicht hinreichend den Rückgang, wenn berücksichtigt wird, daß Homosexuelle gleich nach dem Polizeiverhör in ein Konzentrationslager eingewiesen wurden und daher in keiner öffentlichen Verurteilungs-Statistik auftauchen.

Anzunehmen ist vielmehr, daß unter dem Eindruck des Krieges die Arbeit der Erfassungsinstanzen, sei es der Reichszentrale, sei es der Kriminalpolizei und anderer Stellen aus einfachen personaltechnischen Gründen weniger effektiv war. Eher andeutungsweise legte auch Wuth in seinem Bericht diese Interpretation zur Aufhellung „der erheblichen Dunkelziffer" nahe, um dann aber doch noch den Bogen zu einer opportunen germanisch-dynamischen Erklärung zu finden:

„Die Betrachtung aller dieser Statistiken erweckt ... den Eindruck, als ob unter den Verhältnissen des Wehrdienstes Verbrechen und Vergehen nach § 175 eher zurückgedrängt werden. Dieses würde nicht in Erstaunen setzen, wenn man an die Strapazen und Anstrengungen denkt, der die kämpfende Truppe ausgesetzt ist ... Will man aus diesen etwas spekulativen Erwägungen heraus einen Schluß ziehen, so wäre es der, die Täter wegen §§ 175, 175a tunlichst bei der kämpfenden Truppe einzusetzen ..."

Solchen Empfehlungen mochte sich der Chef des Oberkommandos der Wehrmacht, Generalfeldmarschall Wilhelm Keitel, jedoch nicht anschließen. In den von ihm unterzeichneten speziellen „Richtlinien zur Behandlung von Homosexuellen in der Wehrmacht", datiert vom 19. Mai 1943 im Führerhauptquartier, blieb die Entfernung aus der Truppe die Regel und, wie es hieß, „in besonders schweren Fällen kann ... auf Todesstrafe erkannt werden".

Soweit erkennbar, wurde die Forderung nach Todesstrafe für Homosexuelle erstmals nach der Machtergreifung in einem Aufsatz des SS-Juristen Karl-August Eckhard im Mai 1935 erhoben. In der SS-Zeitung „Das Schwarze Korps" hieß es aus seiner Feder: „Wie ... in der Frage der Mischehen ... so müssen wir auch in der Beurteilung der rassenvernichtenden Entartungserscheinung der Homosexualität zurückkehren zu den nordischen Leitgedanken der Ausmerze der Entarteten. Mit der Reinerhaltung der Rasse steht und fällt Deutschland." Ähnlich äußerte sich auch Himmler in seiner bevölkerungspolitischen Geheimrede vor SS-Offizieren am 18. Februar 1937 und bedauerte zugleich, daß man es heute in Deutschland „leider nicht mehr so einfach wie unsere Vorfahren (habe)", die Homosexuelle im Moor erstickten, denn „das war einfach das Auslöschen dieses anomalen Lebens. Das mußte entfernt werden, wie wir Brennesseln ausziehen, auf einen Haufen werfen und verbrennen. Das war kein Gefühl der Rache, sondern der Betreffende mußte weg". Für den Bereich der SS habe er sich nun entschlossen, daß die Person nach Verbüßung der Gefängnisstrafe „auf meine Anordnung in ein Konzentrationslager gebracht und im Konzentrationslager auf der Flucht erschossen (werden)". In seiner Stuttgarter Rede vom 2. September 1938 sprach er auch von weitergehenden Maßnahmen und sagte, er könne sich „vorstellen, daß ein Homosexueller in der SS in einem Jahr schon mit dem Tode bestraft wird". Das geschah durch einen Führererlaß vom 15. November 1941. Darin ordnete Hitler an, „daß ein Angehöriger der SS oder der Polizei, der mit einem anderen Manne Unzucht treibt oder sich von ihm zur Unzucht mißbrauchen läßt, ohne Rücksicht auf sein Lebensalter mit dem Tode bestraft wird".

Obwohl seit Ausbruch des Krieges eine deutliche Verschärfung der Verfolgung durch Einweisung in Konzentrationslager und Todesstrafe eintrat, hatte Himmler 1936 die Grenzen dieses Terrors durchaus erkannt: „Durch Verbote und durch polizeiliches Eingreifen kann ich Ausnahmefälle asozialer Menschen beseitigen ... Sehr große Bewegungen, sehr große Fragen ... die große Frage der irregeleiteten Sexualität ... kann ich mit der Polizei nie regeln." Diese Einsicht mag dazu beigetragen haben, daß in der „Homosexuellen-Frage" parallel zum Terror von SS, Gestapo und Polizei auch die Wissenschaft verstärkt in das Programm der „Ausmerze" einbezogen wurde, denn die vielfältigen Erkenntnisse der Reichszentrale hatten manche liebgewonnenen Vorurteile über Homosexualität über den Haufen geworfen. „Ich will Ihnen ganz offen zugeben," äußerte sich Himmler zu den neuen Einsichten, „wir alle haben noch vor zwei oder drei Jahren gesagt: völlig ausgeschlossen, daß der Mann homosexuell ist; er hat ja nette Kinder und eine nette Frau! Das ist aber gar nicht ausgeschlossen."

Die Entdeckung, daß gerade der inszenierte Terror Homosexuelle in die Ehe und damit zugleich in die Bisexualität flüchten ließ, verunsicherte insbesondere die „Rassenhygieniker". So warnte der erbbiologisch orientierte NS-Forscher Theo Lang in diversen Aufsätzen vor den Folgen „normalen Verkehrs" von Homosexuellen. Es wäre zu bedenken, „daß der Ausfall der Homosexuellen in der Fortpflanzung nicht nur vom Standpunkt der quantitativen, sondern auch der qualitativen Bevölkerungspolitik angesehen werden muß. Wenn nämlich, was nicht ganz unwahrscheinlich ist, den meisten Fällen von Homosexualität eine Störung des Chromosomsatzes zugrunde liegt, so ergibt sich z. B., daß eine scharfe Strafverfolgung und moralische Verfemung die Homosexuellen dazu treibt, wenigstens den Versuch zur Ehe und Fortpflanzung zu machen, genau das Gegenteil dessen erreicht, was ein derart scharfes Vorgehen bezweckt, nämlich möglicherweise eine Vermehrung der Homosexuellen in der nächsten Generation." Solche Erkenntnisse, mochten sie auch nur als Hypothese im Raum stehen, machten das grundsätzliche Dilemma des Nationalsozialismus in der Bekämpfung der Homosexualität deutlich. Solange die aktuelle Frage „Wie entsteht Homosexualität?" nicht beantwortet werden konnte, mußte auch das Tor zu einer im Sinne des Regimes konsequenten „Endlösung" verschlossen bleiben. Mochte es gelingen, große Teile der Homosexuellen auszurotten, so stellte sich die Frage nach der Entstehung von Homosexualität mit jeder Generation nachgewachsener Homo- und Bisexueller neu.

Im Jahresbericht 1939/40 des Reichskriminalhauptamtes hieß es denn auch eher ratlos: „Um weitere Möglichkeiten der Eindämmung der Seuche zu finden und keine Mittel hierzu unversucht zu lassen, wurden Anregungen verschiedener Personen geprüft, die darauf abzielen, die wissenschaftliche Erkenntnis über das Problem der Homosexualität weiter zu vertiefen." Himmler jedenfalls „favorisierte ein großangelegtes medizinisch-anthropologisches Forschungsprojekt, das neue Instrumente zur Eindämmung zur Verfügung stellen sollte". Im Kapitel „Die Homosexuellen zwischen Psychotherapie und Vernichtungsexperiment" eines unveröffentlichten Buchmanuskriptes (Titel: „Neue Deutsche Seelenheilkunde – Aufstieg im Schatten der Vernichtung") weist Karl-Heinz Roth vier Forschungsrichtungen nach, „die sich oft erbittert bekämpften, aber von der NS-Spitze mit eiserner Faust in Schach gehalten wurden: die Kriminalpsychiater, die Anhänger der Kraepelin-Schule (Entmannung – Anm. d. Verf.), die Vererbungstheoretiker und zuletzt die Psychotherapeuten. Als der ‚totale' Krieg längst ausgebrochen war, setzten sich schließlich die Erbforscher und die Therapeuten durch und zwangen allen befaßten Institutionen ihre arbeitsteilig angelegten Konzeptionen auf."

Die Akten über die Experimente des dänischen SS-Arztes Dr. Vaernet an homosexuellen Häftlingen des Konzentrationslagers Buchenwald belegen anschaulich das wissenschaftliche Niveau dieser Methoden. Vaernet hatte sich im Jahre 1943 über den „Reichsarzt-SS und Polizei" Grawitz Himmler angedient, der am 15. November 1943 einen Geheimbefehl zur Förderung des Mediziners herausgab: „Dr. V. bitte ich absolut großzügig zu behandeln. Ich selbst möchte monatlich einen 3–4 Seiten langen Bericht, da ich mich für die Dinge sehr interessiere. Zu einem späteren Zeitpunkt möchte ich Vaernet dann auch einmal zu mir bitten." Der Arzt erhielt ein großzügiges Gehalt und entsprechende Arbeitsbedingungen in einem SS-eigenen pharmazeutischen Betrieb in Prag sowie die Zusicherung, daß ihm „in den Konzentrationslagern Häftlinge zur Verfügung gestellt werden". Falls aus den Experimenten „produktionsreife Produkte" hervorgehen sollten, verpflichtete er sich im Gegenzug, der SS „die alleinige wirtschaftliche Nutzung im In- und Ausland im Lizenzwege zu überlassen". Das gesamte Vorhaben wurde unter strengster Geheimhaltung durchgeführt.

Dabei ging der SS-Arzt von einer simplen These aus. „Bei diesen Patienten", so behauptete er in seiner Himmler motivierenden Schrift „Die künstliche Sexualdrüse", „findet man eine zu geringe Produktion des männlichen Sexualhormons, normale Produktion des weiblichen Sexualhormons, vor". Irgendeinen Beweis dafür konnte er allerdings vorerst nicht liefern, sondern erst die Experimente sollten ihn erbringen. Offenbar war diese Theorie durch selektiven Augenschein und gesellschaftliche Vorurteile zustande gekommen. Nach Vaernets Beobachtungen jedenfalls waren Homosexuelle durch „Scheuheit und Geniertheit" gegenüber dem anderen Geschlecht, sowie durch „Mangel an maskulinen Eigenschaften" geprägt.

Durch Zufuhr männlicher Sexualhormone sollte das theoretische Defizit beseitigt und „diese Menschen zu wirksamen und vollwertigen Mitgliedern der Allgemeinheit" entwickelt werden. Angefangen hatte der Arzt mit seinen Hormonforschungen bereits 1934 in Dänemark. Seine Versuche beschränkten sich zu dieser Zeit allerdings noch auf Mäuse. Ziel war es, „sämtliche Hormonwirkungen auf einem statistisch ausreichenden und biologisch geprüften Material – 4000 Mäuse aus reingezüchteten Stämmen – zu untersuchen." Vier Jahre später waren die Reaktionen der Mäuse soweit erforscht, daß die Erkenntnisse nun auf Menschen übertragen werden sollten. In den folgenden Jahren konzentrierte sich Vaernet daher auf Methoden zur Implantation zunächst ungeschützter Tabletten in den menschlichen Körper. 180mal operierte er, dann stellte er fest, daß die Ergebnisse unbefriedigend blieben.

Die Lösung, das teilte er Himmler mit, sollte nun eine neue Technik bringen. Durch Umhüllung einer unter großem Druck komprimierten Tablette mit einer Lackschicht entstand jetzt ein „Preßling zur Einpflanzung als Arzneimitteldepot in den lebenden Organismus", den er vorsorglich, das heißt, ehe er das Verfahren der Reichsführung-SS anbot, in Kopenhagen als Patent angemeldet hatte. Ausprobiert hatte Vaernet die Wirkung des Präparats mindestens einmal zuvor: Ein Lehrer, der an seiner Homosexualität bzw. an ihrer Verfolgung litt, hatte sich im Sommer 1942 in Dänemark für das Experiment zur Verfügung gestellt. Allerdings zeigte das Experiment ein halbes Jahr lang keinerlei Wirkung. Darauf wurde es wiederholt und zwar mit dem Ergebnis, daß der Lehrer dem Arzt plötzlich einen Brief schrieb: „Im April 1943 habe ich geheiratet, aber erst Ende August 1943 hatten wir unseren ersten Beischlaf... Welch ein herrliches Gefühl, dies überstanden zu haben."

Vaernet, der um diese Zeit bereits mit der deutschen Besatzungsmacht kollaborierte, wertete jenen Beischlaf als Erfolg seiner an Mäusen erprobten Hormontherapie und hoffte nun auf das große Geld durch die Verwertung seines „Patents". Die meisten Großstädte des Reichs lagen unter den Angriffen der Alliierten schon in Schutt und Asche, und auch Vaernet hatte wegen der Bombardierung des KZ Buchenwald den Beginn seiner Experimente bereits einmal verschieben müssen, als im September 1944 schließlich die ersten Operationen durchgeführt werden konnten. Die Versuche, so hieß es in dem Schriftverkehr Vaernets mit der SS, sollten „auf breiter Basis feststellen, ob es durch Implantation einer künstlichen Sexualdrüse möglich ist, einen abnorm gerichteten Sexualtrieb zu normalisieren". Falls das gelingen sollte, erwartete er Auskunft darüber, „ob man *alle* Homosexuellen auf diese Weise normalisieren kann". Zugleich sollte auch Grundlagenforschung betrieben und die Frage geklärt werden, wie Homosexualität entsteht.

Der erste Häftling, dem die Kapsel eingesetzt wurde, war der fünfundfünfzigjährige katholische Theologe Bernhard S. Wegen Verstoß gegen den Paragraphen 175 hatte er von 1936 bis 1944 im Zuchthaus gesessen und war anschließend in Schutzhaft genommen worden. Mit einem Skalpell machte Vaernet einen Schnitt in die Leistengegend des Häftlings und drückte dann in die Wunde die wenige Zentimeter große zylindrische Kapsel. Sie wies an ihren beiden Enden jeweils eine schmale

Öffnung auf, durch die das männliche Hormon Testosteron kontinuierlich und in berechneter Menge in den Körper des Homosexuellen abgegeben werden sollte. Die Operationen dauerten jeweils eine halbe Stunde, anschließend wurden die Häftlinge im Krankenrevier zur Beobachtung eingewiesen. Da Vaernet die Versuche politisch auch damit begründet hatte, daß ihre Ergebnisse auch eine „Steigerung der Geburtenzahlen" bewirken sollten, wurden nun alle sexuellen Äußerungen der Operierten säuberlich registriert. Für Bernhard S. enthielt das Kranken-Journal am 16. September 1944 folgende Eintragung: „Schmerzen. Neurologisch ohne Befund." Am 19. September: „Gegen früh stärkere Erektion." Am 22. und 23. September: „Erektion abends und früh." Einen Monat später hieß es, die Wunde sei verheilt, Bernhard S. befände sich auf dem Weg der Besserung und habe von Frauen geträumt. Schließlich, so das Journal weiter, hätte „sich seine erotische Gedankenwelt ganz verändert". Er habe an die Frauen im Bordell gedacht, aber aus „religiösen Gründen" könne er nicht hingehen.

Aber wenn Häftlinge mit der „künstlichen Drüse" ihre „Heilung" durch einen Besuch im KZ-eigenen Bordell nachzuweisen versuchten (immerhin ging es dabei um Leben und mögliche Entlassung), gab sich die SS damit nicht sogleich zufrieden. Um jeden Zweifel auszuschalten, befahl Himmler 1944 sogenannte „Abkehrprüfungen". Dazu verfrachtete man die Homosexuellen in das Frauen-KZ Ravensbrück, um sie bei der Arbeit unauffällig mit Prostituierten zusammenzubringen. Diese hatten den Auftrag, sich den Männern dezent zu nähern und sie geschlechtlich zu reizen. Kam es zu einer sexuellen Verbindung, wurde dies als Indiz für die „Heilung" angesehen.

Zweifel an der Wissenschaftlichkeit der von Vaernet entwikkelten Umkehrmethode blieben bei den Auftraggebern denn auch nicht aus. „Mir als Laie", meldete ein SS-Offizier seiner vorgesetzten Dienststelle, „erscheinen die vorläufigen Ergebnisse unsicher". Vaernet fochten derartige Bedenken jedoch nicht an. Am 13. Oktober 1944 verkündete er in seinen Monatsberichten an die Reichsführung-SS, daß eine mit „3a" bezeichnete Hormondosis „die Homosexualität in einen normalen Geschlechtstrieb verwandelt". Auch wären die Untersuchungen „bei weitem noch nicht beendet". In den folgenden Monaten setzte er daher die Experimente an weiteren homosexuellen Häftlingen fort. Mindestens zwei starben; an einer „mächtigen Phlegmone" (eitrige Zellgewebeentzündung) bzw. an „allgemeiner Entkräftung".

Irgendeinen praktischen politischen Nutzen für die Machthaber im Dritten Reich hatten diese Versuche nicht. Vielmehr dürften sie ein Beispiel dafür sein, wie sich Vorurteile gegen eine Minderheit „verwissenschaftlichen". Seine Abschlußarbeit widmete Vaernet am 10. Februar 1945 denn auch Heinrich Himmler „in tiefster Bewunderung und unverbrüchlicher Treue" und dankte „für dauerndes Interesse und großzügige Unterstützung". Himmler hatte in die Versuche Vaernets große Erwartungen gesetzt. Er strebte einen medizinischen Masseneinsatz der Erfindung an und plante in dem erwähnten Geheimbefehl schon „die Errichtung eines Instituts, in dem die Behandlung auf der Grundlage der ‚künstlichen Drüse' erfolgt".

Waren nach den offiziellen Statistiken des Dritten Reichs etwa 50000 Homosexuelle nach Paragraph 175 verurteilt worden, so wird in einer von Lautmann/Grikschat/Schmidt im Jahr 1977 veröffentlichten Untersuchung geschätzt, daß sich die Gesamtzahl der in den Konzentrationslagern inhaftierten Homosexuellen „in der Größenordnung von 10000 (es können 5000, aber auch an die 15000 gewesen sein)" bewegt. Die einzige NS-Angabe ist die des Oberstarztes Dr. Wuth aus dem Jahre 1943. Seit 1940 soll danach „die Mindestzahl" 2248 betragen haben, „dürfte jetzt aber", wie er hinzufügte, „etwas höher liegen".

Obwohl die meisten KZ-Akten gegen Ende des Krieges von der SS vernichtet wurden, läßt sich der rosa Winkel als Kennzeichnung der Homosexuellen in den meisten Lagern nachweisen. Für Auschwitz ergibt eine Auswertung der fünf erhaltengebliebenen „Zugangslisten" aus dem Jahre 1941, daß unter den hier aufgeführten 9396 Häftlingen 40 mit dem Vermerk „175" eingeliefert worden waren. Ihr Alter bewegte sich zwischen 21 und 60 Jahren. Häufigste Berufsangabe: Arbeiter oder handwerkliche Berufe. In Buchenwald waren Anfang 1945 fast 200 rosa Winkel nachweisbar. Über die Tongrube des Großziegelwerkes im KZ Sachsenhausen wird berichtet, daß dort zuweilen Hunderte von Homosexuellen dem Programm „Vernichtung durch Arbeit“ unterworfen wurden. Über das Lager Neusustrum, einem jener „Moorlager“ in Ostfriesland, teilte der ehemalige Häftling Harry Pauly dem Verfasser mit, daß hier „ca. 20% schwul waren und auch in anderen, umliegenden Lagern viele Homosexuelle gefangen waren“.

Obwohl lesbische Liebe offiziell nicht bestraft wurde, sind auch homosexuelle Frauen in einigen Konzentrationslagern nachweisbar. So veröffentlichte Ina Kuckuk 1979 den Bericht einer Luftwaffenhelferin, die nach einem lesbischen Verhältnis mit einer Kollegin wegen „Wehrkraftzersetzung“ verurteilt worden war. Eingewiesen in das KZ Bützow in Mecklenburg, wurde sie dort zusammen „mit sechs anderen Lesben in einem Extrablock“ isoliert. Die Behandlung der Frauen durch SS und Mithäftlinge wird als extrem grausam und brutal geschildert.

Der rosa Winkel als Häftlingskategorie ist auch im Frauen-Konzentrationslager Ravensbrück nachweisbar. Dort hing in einem Zimmer, in das die neu ankommenden Häftlinge zur Registrierung geführt wurden, eine Tafel, die die verschiedenfarbigen Winkel erläuterte. Darunter befand sich auch, wie Isa Vermehren in ihrer „Reise durch den letzten Akt“ schildert, ein rosa Winkel, der hier die Bedeutung „LL“ für „Lesbische Liebe“ hatte.

Die ersten Einweisungen wegen Homosexualität fanden bereits 1933 statt (KZ Hamburg-Fuhlsbüttel) und nahmen nach der Errichtung der „Reichszentrale zur Bekämpfung der Homosexualität und der Abtreibung“ deutlich zu. In Dachau kamen 1936, wie H. Burkhard berichtet, nach einer Razzia in München „einige Hundert dieser Unglücklichen zu uns ins Lager“. In das KZ Fuhlsbüttel wurden eines Nachts „80 Homosexuelle auf einmal eingeliefert ... fast jeden Tag wurden welche eingeliefert“ (P. Zylmann).

Über das Schicksal der Homosexuellen in den Konzentrationslagern schreibt Eugen Kogon, bis 1945 politischer Häftling in Buchenwald, man könne es „nur als entsetzlich bezeichnen.

Sie sind fast alle zugrunde gegangen." Innerhalb der Häftlingshierarchie standen Homosexuelle auf der untersten Stufe. Bei Transporten in Vernichtungslager, berichtet Kogon über das KZ Buchenwald weiter, stellten sie „im Verhältnis zu ihrer Anzahl den höchsten Prozentsatz". „Die Häftlinge mit dem rosa Winkel", teilt R. Schnabel über das KZ Dachau mit, „lebten niemals lange, sie wurden von der SS systematisch rasch vernichtet."

In auffallend vielen Berichten ehemaliger politischer Häftlinge ist von der besonderen Grausamkeit der SS gegenüber Homosexuellen die Rede. Pater S. Hess beobachtete 1941 bei seiner Ankunft in Dachau: „Einer kam wegen § 175. Er wurde nach allen Regeln geohrfeigt, mußte laut vor allen sein Delikt erzählen, genau beschreiben, was er gemacht hatte und wie, dann fielen sie von neuem über ihn her und gaben ihm Ohrfeigen und Fußtritte. Man konnte ihnen Wollust und Sadismus vom Gesicht lesen."

In Sachsenhausen wurde 1940 beobachtet: „Ein Mann, der sich, wie aus seinen Akten hervorging, vor zwanzig Jahren einmal gegen den § 175 vergangen, dieses aber jetzt verschwiegen hatte, wurde an Ort und Stelle tatsächlich zu Tode geprügelt." (A. Weiss-Rüthel) Harthauser berichtete über eine Zeugenaussage im Kölner Sachsenhausen-Prozeß (1964): „Der wegen Mordes in mehr als hundert Fällen angeklagte Otto K. aus Bergisch-Gladbach habe einen homosexuellen Häftling so lange mit einem kalten Wasserstrahl auf die Herzgegend gezielt, bis der Mann tot zusammenbrach. Es seien von den SS-Leuten am meisten mißhandelt worden: Juden und Homosexuelle."

In mehreren Konzentrationslagern isolierte die SS homosexuelle Häftlinge in besonderen Blocks. Heinz Heger, der als Homosexueller die KZ-Haft in Sachsenhausen überlebte, schrieb darüber in seinen Erinnerungen: „Unser Block war nur mit Homosexuellen belegt, und jeder Flügel bzw. Stube hatte ca. 250 Mann. Schlafen durften wir nur in Nachthemden und mit den Händen außerhalb der Decke ... Dabei waren die Fenster zentimeterdick mit Eis bedeckt. Wer mit der Unterhose im Bett angetroffen wurde oder die Hände unter der Bettdecke hatte – es fanden fast jede Nacht Kontrollen statt –, wurde zur Strafe mit einigen Kübeln Wasser übergossen und eine gute Stunde stehen gelassen. Diese Prozedur überstanden nur die wenigsten, das mindeste war eine Lungenentzündung, und wer als Schwuler in das Krankenrevier eingeliefert wurde, verließ es fast nie mehr lebend."

Zumindest im KZ Sachsenhausen, wo nach bisherigen Kenntnissen besonders viele Homosexuelle inhaftiert waren und umkamen, durften rosa Winkel nicht mit Trägern anderer Winkelfarben sprechen und nicht näher als fünf Meter an ihre Blocks herangehen. Heinz Heger: „Wer dabei von der SS erwischt wurde, bekam den ‚Bock', und mindestens 15 bis 20 Stockschläge waren ihm gewiß." Begründet wurden diese Maßnahmen damit, daß „normale" Häftlinge nicht zu homosexuellen Handlungen verführt werden sollten. Dabei war die homosexuelle Praxis in den Lagern, wie Eugen Kogon mitteilt, „sehr verbreitet; die Häftlinge taten aber nur jene in Acht und Bann, die von der SS mit dem rosa Winkel markiert waren".

Es ist allgemein bekannt, daß sich in allen Lagern Hierarchien herausbildeten, die unterhalb der von SS-Mitgliedern gebildeten Lagerverwaltung und der SS-Wachmannschaft eine Art Häftlingsselbstverwaltung durchführten. Wer hier eine Funktion als Kapo (aus den Gefangenen rekrutierte Hilfskräfte) erringen konnte, sei es auf den Schreibstuben, den Kleiderkammern, den Magazinen, der Küche, dem Krankenrevier usw., gehörte zur „Häftlingsprominenz". Die Besetzung dieser Posten, schwer umkämpft besonders zwischen den roten und den grünen Winkeln, war für den KZ-internen Widerstand von existentieller Bedeutung. Um Menschen zum Beispiel von den Todestransportlisten der SS zu streichen und sie, wenn ihr Leben im Stammlager gefährdet war, in Außenlager zu schmuggeln, um ihnen medizinische Betreuung zukommen zu lassen, bedurfte es der organisierten Tätigkeit zusammenarbeitender Individuen und Gruppen. Rosa Winkel spielten in diesem System des Häftlingswiderstandes so gut wie keine Rolle. Isoliert von den Mitgefangenen und den Schikanen der SS in besonders hohem Maße ausgesetzt, blieb ihre Überlebenschance gering.

Etwa um die Hälfte höher als bei den politischen Häftlingen wird in der Untersuchung von Lautmann/Grikschat/Schmidt die Todesrate der Homosexuellen bemessen. Blieb die Minderheit bereits in der normalen Bevölkerung in einem gleichgeschlechtlichen Getto isoliert, so verdichtete sich dieser Zustand unter den mörderischen Bedingungen der KZ zu einer tödlichen Konsequenz. Auch hier gelang es den Homosexuellen nicht, sich gegenseitig durch die zum Überleben dringend notwendige Solidarität zu stärken. „Vermochten viele Rote, Grüne und Violette Winkel", das heißt die Politischen, Vorbestraften und Bibelforscher, „als *Akteure* einer bestimmten Strategie von Lebenssicherung aufzutreten – Gruppenbildung, Austausch, Funktionsposten –, so glitten die Homosexuellen ins Abseits, als *Opfer*". Von einer „Viktimisierung durch Vereinzelung" reden daher Lautmann/Grikschat/Schmidt und führen dies auf die mangelnde „Organisations- und Konfliktfähigkeit" der Homosexuellen zurück. Mochten diese Defizite in der Gesellschaft „lediglich" zu Vereinsamung und seelischer Not führen, verringerten sie jedoch unter den Bedingungen der Konzentrationslager die Überlebenschancen entscheidend.

Der Schriftsteller Günther Weisenborn, 1942 als Mitglied einer Widerstandsgruppe verhaftet, begegnete während seiner Haft „manchem gepeinigten Homosexuellen" und stellte fest: „Sie litten unsagbar; denn keine Idee stützte sie. Sie waren absolut wehrlos und starben darum besonders früh ..."

5. Von der Restauration zur Reform

Das Leben einer Minderheit in der Bundesrepublik und in der DDR

Die Bundesrepublik Deutschland knüpfte in ihrer juristischen Haltung den Homosexuellen gegenüber nicht an das Kaiserreich und auch nicht an die Republik von Weimar an, schon gar nicht an die Reformansätze von 1929. Im Gegenteil: Als Rechtsnachfolgerin des NS-Reiches übernahm sie auch die nationalsozialistische Rechtsauffassung zum Paragraphen 175 und ließ ihn unverändert bis zum Jahre 1969 fortbestehen. Für die homosexuelle Minderheit endete der Nationalsozialismus juristisch daher erst 24 Jahre nach dem Zusammenbruch des Dritten Reichs.

Klagen gegen den Fortbestand der NS-Fassung lehnten alle Instanzen bundesdeutscher Gerichte ab. Das Bundesverfassungsgericht begründete dies am 10. Mai 1957 mit folgenden Worten: „Von 1945 bis zum Zusammentritt des Bundestages herrschte in den westlichen Besatzungszonen so gut wie einhellig die Meinung, die Paragraphen 175 und 175a seien nicht in dem Maße ‚nationalsozialistisches geprägtes Recht', daß ihnen in einem freiheitlich-demokratischen Staate die Geltung versagt werden müsse." Die „so gut wie einhellige Meinung" der Besatzungsmächte, welche zunächst die ausschließliche Staatsgewalt ausübten, war so einhellig denn doch nicht. Immerhin hatte die Militärregierung sofort nach der Befreiung „Allgemeine Anweisungen an die Richter" erlassen, worin diesen verboten wurde, von Rechtsvorschriften Gebrauch zu machen, die nach dem Machtantritt der NSDAP strafverschärfend in Kraft getreten waren. Mit dem Gesetz Nr. 11 vom 30. Januar 1946 wurde dann aber vom alliierten Kontrollrat genauer angegeben, welche Vorschriften im einzelnen wegen ihres „Unrechtsgehalts" für ungültig erkärt wurden. Die NS-Fassung des 175 gehörte jetzt nicht mehr dazu. Ein knappes halbes Jahr später legte die Militärregierung schließlich den Entwurf für eine Neufassung des Strafgesetzbuches vor: Darin sollte künftig die alte, das heißt die kaiserliche und republikanische Fassung angewendet werden. Dazu kam es aber nicht. Vielmehr bestand die Bundesrepublik bei ihrer Gründung auf der Beibehaltung der NS-Fassung. Auch fanden bundesdeutsche Gerichte nichts Nationalsozialistisches mehr an der Begründung für die Verschärfung von 1935. Selbst die Entscheidungen der späten NS-Reichsgerichts-Rechtsprechung zum Paragraphen 175, wonach zur Tatbestandserfüllung eine körperliche Berührung nicht unbedingt stattgefunden haben müßte und allein das „Betrachten in wollüstiger Absicht“ genüge, übernahm der Bundesgerichtshof. Zwar räumte dasselbe Gericht im Jahre 1951 durchaus ein, „daß die Gestaltung der Verhältnisse unter der nationalsozialistischen Herrschaft mit ihren Männerverbänden (sic!) der Anlaß gewesen sei, den früheren Tatbestand zu erweitern, und daß andererseits die damaligen Machthaber die neue Fassung des Paragraphen 175 StGB auch als Vorwand benutzten, gegen mißliebige Organisationen oder Einzelpersonen vorzugehen“, aber keine „dieser Erwägungen“ erlaube den Schluß, daß die NS-Fassung „gegenüber der früheren eine Verwirklichung nationalsozialistischer Ziele oder Gedanken bilde“.

Nirgendwo findet sich in den Begründungen der höchsten bundesdeutschen Gerichte zur Weitergeltung auch nur ein einziger Hinweis auf die rassenhygienischen und bevölkerungspolitischen Absichten, mit denen die Nazis seinerzeit die Verschärfung begründeten; nirgendwo ein Hinweis darauf, daß in der NS-Zeit die traditionelle juristische Funktion des Paragraphen 175 StGB, das Prinzip der Prävention im Interesse einer Ausrottung der Homosexuellen und der Homosexualität, aufgegeben wurde. Geradezu zynisch mußte vor diesem Hintergrund die Feststellung des Bundesverfassungsgerichts vom 17. Dezember 1953 wirken, daß die Rechtsvorschrift 1935 „ordnungsgemäß erlassen und von den Mitgliedern der Rechtsgemeinschaft hingenommen und seither jahrelang unangefochten bestanden hätte ..." Auch der Hinweis eines Klägers, daß in Artikel 3 Absatz 2 des Grundgesetzes die Gleichberechtigung von Mann und Frau vorgeschrieben sei, nützte wenig. „Der Grundsatz der Gleichberechtigung", so das Verfassungsgericht am 10. Mai 1957, könne „für die gesetzgeberische Behandlung der männlichen und weiblichen Homosexualität keinen Maßstab" abgeben, denn „auch für das Gebiet der Homosexualität rechtfertigen biologische Verschiedenheiten eine unterschiedliche Behandlung der Geschlechter ... Schon die körperliche Bildung der Geschlechtsorgane weist für den Mann auf eine mehr drängende und fordernde, für die Frau auf eine mehr hinnehmende und zur Hingabe bereite Funktion hin." Anders als der Mann würde „die Frau unwillkürlich schon durch ihren Körper daran erinnert, daß das Sexualleben mit Lasten verbunden" sei, was sich vor allem darin niederschlage, „daß bei der Frau die körperliche Begierde (Sexualtrieb) und zärtliche Empfindungsfähigkeit (Erotik) fast immer miteinander verschmolzen sind, während beim Manne, und zwar gerade beim Homosexuellen, beide Komponenten vielfach getrennt bleiben ..." Was nun die Lesben anbeträfe, so weise „der auf Mutterschaft angelegte Organismus der Frau unwillkürlich den Weg ... auch dann in einem übertragenen sozialen Sinne fraulich-mütterlich zu wirken, wenn sie biologisch nicht Mutter ist ..."

Diese biologistische Argumentation unterschied sich in ihrem sexistischen Gehalt kaum vom nationalsozialistischen Geschlechtsrollenverständnis. Und auch in anderen Teilen des Urteils scheint es, daß die freiheitlich-demokratischen Richter keine besonderen Anstrengungen unternahmen, nationalsozialistische Textvorlagen zu verändern. Verzichtet wurde vor allem auf die belasteten Begriffe von „Volksgemeinschaft" und „gesundem Volksempfinden". Hatte es im NS-Kommentar zum Unzuchtsbegriff 1935 noch geheißen, daß „nicht das Gefühl des einzelnen oder einzelner Volkskreise (maßgebend ist), sondern die gesunde Volksanschauung, d.h. die Ansicht des sittlich empfindenden deutschen Menschen", so wurde „die gesunde Volksanschauung" nun durch ein „Sittengesetz" bestimmt, von dem die Verfassungsrichter aber nicht so recht wußten, wer für seine Auslegung zuständig war. So hieß es denn bezüglich der Feststellung von Unzucht: „Allerdings bestehen Schwierigkeiten, die Geltung eines Sittengesetzes festzustellen. Das persönliche sittliche Gefühl des Richters kann hierfür nicht maßgebend sein; ebensowenig kann die Auffassung einzelner Volksteile ausreichen. Von größerem Gewicht ist, daß die öffentlichen Religionsgemeinschaften, insbesondere die beiden großen christlichen Konfessionen, aus deren Lehren große Teile des Volkes die Maßstäbe für ihr sittliches Verhalten entnehmen, die gleichgeschlechtliche Unzucht als unsittlich beurteilen." Damit traten die Kirchen das verfassungsrechtliche Erbe des „gesunden Volksempfindens" bzw. über die, wie es jetzt hieß, „gesunde und natürliche Lebensordnung im Volke" an.

Reformbestrebungen in den fünfziger Jahren blieben kraftlos. Praktisch keine Bedeutung hatte die „Eingabe betreffend die §§ 175 und 175a StGB" der im April 1950 gegründeten „Deutschen Gesellschaft für Sexualforschung". Sie forderte die Freigabe der einvernehmlichen Homosexualität unter Erwachsenen und versuchte damit, vergeblich, an die Empfehlung des Strafrechtsausschusses aus dem Jahre 1929 anzuknüpfen. Vergeblich blieb auch die Eingabe des 39. Deutschen Juristentages aus dem Jahre 1951, worin ebenfalls auf die Wiederaufnahme der liberalen Weimarer Reformansätze verwiesen wurde. Mit der Auffassung, daß der Staat sich nicht zum Moralwächter erheben dürfe, blieben die Argumente der Reformer grosso modo den Idealen der bürgerlichen Aufklärung verbunden. Sie vertraten damit auch weiterhin ein Prinzip, das die Rechtsphilosophen des 18. und frühen 19. Jahrhunderts entwickelt hatten. Gescheitert durch die Niederlage der Revolution von 1848/49 und begraben unter dem Blut und Eisen der preußischen Reichsgründung von 1871, blieb jene Maxime auch in den ersten zwanzig Jahren des Bestehens der Bundesrepublik Deutschland unverwirklicht.

Die *für* die Aufrechterhaltung des Paragraphen 175 argumentierenden juristischen Stellungnahmen nach 1945 zeigen denn auch, was für ein vielschichtiges staatliches Interessengeflecht sich um die Kriminalisierung der Homosexualität rankte. Der ehemalige Berliner Justizsenator Jürgen Baumann, der seine

1968 in der Universitätsstadt Tübingen erschienene Darstellung der Geschichte des Paragraphen 175 (einer bürgerlich-aufgeklärten Tradition entsprechend) zugleich auch als einen „Beitrag zur Säkularisierung des Strafrechts" auffaßte und im Vorwort des Buches den besonderen Wunsch zum Ausdruck brachte, „daß es der medizinischen Wissenschaft dereinst möglich sein werde, dort Hilfe zu bringen, wo der Strafgesetzgeber versagen muß", zählte nur für die Zeit nach 1945 folgende juristische Argumente zur Beibehaltung des 175 auf: 1. Aufrechterhaltung der Sittlichkeit bzw. der Unsittlichkeit homosexuellen Verhaltens, 2. Normalität des Geschlechtslebens, 3. Natürlichkeit des Geschlechtslebens, 4. Aufrechterhaltung der Volksgesundheit im Sinne der Bevölkerungspolitik, 5. Gefahr für Ehe und Familie (als Grundlagen des Staates), 6. Integrität des öffentlichen Lebens, 7. Jugendschutz, 8. Schutz der heterosexuellen Grundstruktur der Gesellschaftsordnung, 9. Schutz des Sexuallebens, 10. Reinhaltung des Verhältnisses von Mann zu Mann von sexuellen Beziehungen, 11. Verhinderung der Ausbreitung von Homosexualität. Da Baumann mit seiner Schrift erklärtermaßen für die Säkularisierung des Strafrechts eintrat, waren die vielfältigen Auffassungen der „öffentlichen Religionsgemeinschaften" zur Bestrafung homosexuellen Verkehrs natürlich in dieser Auflistung nicht berücksichtigt worden.

Einen großen Teil der eben aufgeführten Argumente enthielt ein amtlicher Strafrechtsentwurf aus dem Jahre 1962, der geradezu eine enzyklopädische Sammlung von antiaufklärerischen Stichworten zur Kriminalisierung der Homosexualität enthielt. Schon klassisch gewordene Wendungen im Kampf gegen die Homosexualität („Wo die geschlechtliche Unzucht um sich gegriffen und großen Umfang angenommen hat, war die Entartung des Volkes und der Verfall seiner sittlichen Kräfte die Folge") spielten auf den angeblich durch Homosexualität verursachten Untergang des römischen Imperiums an oder behaupteten in dumpfer Unkenntnis, daß an „Verfehlungen gegen § 175 StGB überwiegend Personen beteiligt sind, die nicht aus angeborener Neigung handeln, sondern durch Verführung, Gewöhnung oder geschlechtlicher Übersättigung dem Laster verfallen sind". Vor diesem Hintergrund blieb Aufklärern und Reformern nichts anderes übrig, als solche ständig wiederholten und ausgeweiteten Behauptungen mit großer Geduld zu widerlegen oder schlichtweg zu resignieren.

Die Homosexuellen selbst befanden sich in ihrer Rolle als Bürger eines „freiheitlich-demokratischen" Staates in einem fatalen Konflikt. Zwar galten auch für sie die in der Verfassung, dem Grundgesetz, garantierten demokratischen Rechte der Versammlungs-, Koalitions- und Pressefreiheit, so daß sie sich in Vereinigungen zusammenschließen und eigene Zeitungen herausgeben konnten. Doch galten diese Rechte für sie nur formal. Machten Homosexuelle davon Gebrauch, so setzte ein zweifacher Repressionsmechanismus ein. Beispielhaft deutlich wurde dies, als in den fünfziger Jahren der Herausgeber der winzigen homosexuellen Zeitschrift „Freond" wegen „Verbreitung unzüchtiger Schriften" zu eintausend Mark Geldstrafe, ersatzweise zwei Monate Haft verurteilt wurde. Als Stein des Anstoßes galten einige Bilder, auf denen erwachsene Männer in Badehosen abgelichtet worden waren; Bilder, wie sie in den fünfziger Jahren auch in gewöhnlichen „Bodybuilding"-Heften zu finden waren. Die erste Instanz hatte die Verurteilung damit begründet, daß die Fotos „an sich" harmlos seien, „im Zusammenhang mit der Tendenz der Zeitschrift ‚Freond' jedoch unsittlich sind". Die nächste Instanz bestätigte zwar die Bestrafung des „Freond"-Herausgebers, jedoch genau mit dem umgekehrten Argument: Die Bilder seien „nicht wegen der Tendenz der Zeitschrift unsittlich", sondern sie verstießen „an sich gegen das Schamgefühl". Mochte der Unterschied der Begründungen für die Herausgabe der Zeitschrift unerheblich sein, für die „freiheitlich-demokratische" Grundordnung jedoch blieb der kleine Unterschied bedeutsam. Sie nämlich garantierte die Pressefreiheit und durfte an „Tendenzen" eines Blattes durchaus nicht Anstoß nehmen, wohl aber an der Veröffentlichung für „unsittlich" erklärter Fotos.

Zum anderen lieferte allein die Wahrnehmung von bürgerlich-demokratischen Grundrechten durch Homosexuelle, das heißt die Existenz ihrer Zeitschriften, Vereinigungen und Lokale, dem Gesetzgeber eine wichtige, wenn nicht sogar die entscheidende Begründung zur Beibehaltung des Paragraphen. Wohl durchaus an die Erfahrungen mit der vornazistischen, vergleichsweise „liberalen" Fassung des Paragraphen 175 anknüpfend, erklärte der Regierungsentwurf eines Strafgesetzes für die Bundesrepublik Deutschland (E 1962) die Wahrnehmung demokratischer Rechte durch die homosexuelle Minderheit zur besonderen Gefahr: „Gerade in den Großstädten ist zu beobachten, daß Männer, die dem gleichgeschlechtlichen Verkehr ergeben sind, durch eigene Zeitschriften und gesellige Veranstaltungen eine rege Propaganda entfalten ... Da die homosexuellen Zusammenschlüsse ... schon unter der Herrschaft des § 175 StGB entstanden sind und heute durchweg als festgefügte und gutorganisierte Gruppen bestehen, muß damit gerechnet werden, daß sie ihre Tätigkeit auch nach Aufhebung dieses Tatbestandes fortsetzen; denn nach Beseitigung der Strafbarkeit wäre ihre nächste Aufgabe, sich für die gesellschaftliche Anerkennung gleichgeschlechtlicher Handlungen einzusetzen. Daß sie dabei alle Möglichkeiten ausschöpfen würden, die ihnen das neue Strafgesetz bietet, unterliegt keinem Zweifel. Daß sie außerdem die Tatsache der Gesetzesänderung in ihrem Sinne deuten und zu der Behauptung ausbeuten würden, das Gesetz habe den gleichgeschlechtlichen Verkehr zwischen erwachsenen Männern als berechtigt anerkannt, ist wahrscheinlich. Hand in Hand mit der verstärkten Werbung würde auch wohl ein vermehrtes Hervortreten gleichgeschlechtlicher Neigungen in der Öffentlichkeit gehen; denn da der Verkehr als solcher nicht mit Strafe bedroht wäre, würde sich ein Homosexueller, der seine Neigung offen erkennen läßt, nicht mehr der Gefahr einer Strafverfolgung aussetzen. Vor allem stände auch für die Homosexuellen nichts im Wege, ihre nähere Umgebung durch Zusammenleben in eheähnlichen Verhältnissen zu belästigen; solange sie dadurch kein öffentliches Ärgernis erregten, gäbe es zum strafrechtlichen Einschreiten keine Handhabe."

Um diesen durchaus realistisch erkannten Folgen einer Reform des Paragraphen entgegenzuwirken, stellte der Entwurf abschließend fest: „Ausgeprägter als in anderen Bereichen hat die Rechtsordnung gegenüber der männlichen Homosexualität die Aufgabe, durch die sittenbildende Kraft des Strafgesetzes einen Damm gegen die Ausbreitung eines lasterhaften Treibens zu errichten, das, wenn es um sich griffe, eine schwere Gefahr für eine gesunde und natürliche Lebensordnung im Volke bedeuten würde." Derartige Formulierungen erinnern fatal an die Begründungen, mit denen der bevölkerungspolitisch motivierte Rassismus der Nazis die Verfolgung der Homosexuellen vornahm. Tatsächlich sahen sich denn auch die Familienminister der Adenauer-Kabinette stets einem Zwang zur Abgrenzung von „totalitären Regimen" ausgesetzt.

„Familienpolitik" hieß jetzt die neue „freiheitlich-demokratische" Devise. „Totalitäre Regime", so der erste Familienminster der Bundesrepublik Franz-Josef Wuermeling (1953–1962), „betreiben Bevölkerungspolitik", demokratische hätten sich nach anderen Regeln zu verhalten: „Wenn ein demokratischer Staat ‚Familienpolitik' betreibt, muß das etwas grundsätzlich anderes sein, als die ‚Bevölkerungspolitik' etwa des Nationalsozialismus ..." Vor allem gegen das quantitative Moment der NS-Bevölkerungspolitik wandte Wuermeling ein: „Wir haben dieser totalitären Schau die klare These entgegenzusetzen: Unsere Kinder sind nicht Kinder des Staates, sondern Kinder der Familie! ... Wenn sich staatliche Familienpolitik um Familien mit Kindern kümmert, hat das seinen Grund also letztlich nicht darin, daß der Staat mehr Kinder braucht. Dieser hat gar kein Recht, von den Familien mehr oder weniger Kinder zu fordern. Mit solchen Forderungen würde er seine Grenzen eindeutig überschreiten und in den Intimbereich von Ehe und Familie eindringen." Bevölkerungspolitik erniedrige „den Menschen und die Familie zu Funktionären des Kollektivs" und „entweihe" zugleich den „heiligen Bereich der Ehe und Familie zu menschenunwürdigem Funktionärtum".

Nur scheinbar befand sich der Familienminister mit derlei Erklärungen im Widerspruch zu den familienpolitischen Richtlinien, die Konrad Adenauer qua Kanzler-Kompetenz in seiner Regierungserklärung vom 20. Oktober 1952 setzte: Er forderte eine „konstante Zunahme der Geburten" sowie „Stärkung der

Familie und dadurch Stärkung des Willens zum Kind". Entsprechend konzentrierte sich auch das Familienministerium aus genuin bevölkerungspolitischen Gründen auf die „Mehr-Kinder-Familie", denn, so Wuermeling: „Nach den Erkenntnissen der Bevölkerungswissenschaft wird der zahlenmäßige Bestand der Elterngeneration erst dann im gleichen Umfang ersetzt, wenn jede überhaupt fruchtbare Ehe drei Kinder hat." Angesichts vieler kinderloser Ehen konnte diese politische Forderung nur dann erreicht werden, wenn ein weitgefächertes familienpolitisches Instrumentarium im Sinne „eines Willens zum Kinde" forciert angewendet wurde. Wuermeling und sein Nachfolger Bruno Heck (1962–1968) erreichten neben der Anwendung der klassischen bevölkerungspolitischen Rahmenmaßnahmen vor allem durch ein differenziertes System finanzieller Entlastungen und Anreize, daß die Familienberichte der Bundesregierungen in den fünfziger und sechziger Jahren „einen deutlichen Rückgang der kinderlosen und Ein-Kind-Familien, ein mäßiges Ansteigen der Zahl der Zwei-Kind-Familien und eine starke Zunahme der Familien mit drei und mehr Kindern" (D. Haensch) vermelden konnten. Vor allem das qualitative Moment einer als Familienpolitik durchgeführten Bevölkerungspolitik sprach Wuermeling an, als er im Jahre 1953 äußerte: „Millionen innerlich gesunder Familien mit rechtschaffen erzogenen Kindern sind als Sicherung gegen die kinderreichen Völker des Ostens mindestens so wichtig wie alle militärischen Sicherungen."

Wenn auch D. Haensch durchaus zuzustimmen ist, wenn er in seiner ideologiekritischen Analyse der Familienpolitik der CDU-Regierungen feststellt, daß es Wuermeling nicht um eine quantitative Bevölkerungspolitik zur „Bereitstellung der Soldaten für künftige Kriege" ging, so bleibt festzustellen, daß der quantitative, das heißt der geburtensteigernde Aspekt zentraler Bestandteil der CDU-Familienpolitik jener Jahre gewesen ist. Immerhin galt es nicht nur die Verluste an Menschen durch den Zweiten Weltkrieg zu „regenerieren", sondern auch den Arbeitsmarkt zu versorgen. Die spätestens in den sechziger Jahren einsetzende Anwerbung ausländischer Arbeitnehmer zeigte denn auch, in welchen Dimensionen sich die Dynamik des Arbeitsmarktes entfaltete.

Die „gesunde Familie", die als „Urquelle" und „wichtigste Ordnungszelle des Staates" zugleich auch durch Artikel 6 des Grundgesetzes besonderen verfassungsrechtlichen Schutz genoß, erhielt unter den christlichen Familienministern der Adenauer-Ära noch eine weitere spezifische Bindung, „die ethische Bindung an das Sittengesetz" (Wuermeling). Die Auslegung des nirgendwo niedergeschriebenen „Sittengesetzes" wiederum übernahmen, wie das Bundesverfassungsgericht entschied, die „öffentlichen Religionsgemeinschaften, insbesondere die beiden großen christlichen Konfessionen". Im Gegensatz zum Dritten Reich, wo die Moral bzw. Sittlichkeitsinstanz durch die „gesunde Volksanschauung, d.h. die Ansicht des sittlich empfindenden deutschen Menschen" definiert worden war und damit jederzeit staatlicher Willkür unterworfen werden konnte, entsprach es durchaus der Realität, wenn Wuermeling in einem Aufsatz der Kölner „Kirchenzeitung" am 6. Dezember 1953 äußerte: „Familienethik und Sittengesetz entziehen sich unmittelbar staatlicher Einwirkung. Der Staat kann hier nur Schutzvorschriften zur Abwehr familienfeindlicher Einwirkungen schaffen." Formal bildeten die Kirchen tatsächlich vom Staat unabhängige Organisationen.

Zu jenen staatlichen Schutzvorschriften gehörte, neben strengen Scheidungsgesetzen, der Behinderung von Geburtenkontrolle und der Kontrolle über die Verbreitung von Verhütungsmitteln, dem Abtreibungsverbot usw. auch die Aufrechterhaltung der nazistischen Fassung des Paragraphen 175. Über dieses staatliche Bett der Schutzvorschriften breitete sich zugleich die keusche Decke des christlichen Sittengesetzes, das nunmehr nicht nur von der Kanzel herab, sondern aus dem Familienministerium selbst verkündet wurde: „Ich weiß, daß Gott uns berufen hat, als seine Werkzeuge die Welt zu gestalten ... In diesem Sinne deute ich den Auftrag Gottes: ‚Macht Euch die Erde untertan'." Diese Werkzeugtheorie, durchaus keine singuläre Eingebung während seiner Ministerzeit, vertrat Wuermeling in dem Aufsatz „Lebensstandard – Lebensziel. Wohlstand als Hilfe zur Freiheit und Selbstverantwortung der Jugend durch Selbstzucht und Opfer für Familie und Gesellschaft", der am 4. November 1960 im „Bulletin des Presse- und Informationsamtes der Bundesregierung" verbreitet wurde. Ins Schußfeld jener christlich begründeten Bevölkerungs- und Familienpolitik gerieten insbesondere jene Staatsbürger, die „dem Götzen des Lebensstandards verfallen" in „egoistischer Verantwortungslosigkeit" und „wider die natürliche Ordnung gewollt kinderlos oder kinderarm bleiben, weil sie das Leben genießen und sich von Opfern und Belastungen freihalten wollen" (Wuermeling).

Eben dem nazistischen Terror entkommen, blieb den Homosexuellen unter dem Druck der christlichen Sittenethik nur die erneute kollektive Verzweiflung und der Zwang zu einem demoralisierenden Doppelleben. Wie eine öffentliche Selbstverbrennung am Ort der untersten Stufe der homosexuellen Subkultur, der Bedürfnisanstalt, mußte daher die Tat eines homosexuellen Mannes in Würzburg wirken, der das christliche Familienfest der Liebe auf seine Weise beging. Die „Main-Post" vom 28. Dezember 1953 berichtete darüber lapidar: „Am Heiligen Abend wurde in einer öffentlichen Bedürfnisanstalt ein hiesiger 66jähriger Mann erhängt aufgefunden. Längere Krankheit dürfte der Grund für den Freitod gewesen sein." Häufig berichteten die wenigen homosexuellen Zeitschriften in jenen Jahren von Selbst- und Doppelselbstmorden.

Demoralisierend wirkten zugleich Gerichtsentscheidungen, die eine mit dem Gesetz in Konflikt geratene homosexuelle Existenz bis weit über die eigentliche Tat hinaus verfolgten. Das Berliner Verwaltungsgericht zum Beispiel bestätigte in einem Urteil 1957 die Praxis der Behörden, „den Führerschein solchen Bewerbern zu verweigern, die wegen begangener Sittlichkeitsdelikte vorbestraft sind", und begründete dies mit der „Gefahr", daß sittlich labile Menschen leichter rückfällig werden, wenn sie über ein Kraftfahrzeug verfügen ..." Der Berliner „Tagesspiegel" vom 22. März 1957 berichtete folgendes: „In eine Strafversetzung wurde jetzt die Entlassung eines Dozenten der Pädagogischen Hochschule vom Landesarbeitsgericht umgewandelt. Der Kläger war entlassen worden, weil er im Hause eines Landgerichtsrats verkehrt hatte, der inzwischen wegen Verbrechens gegen den Paragraphen 175 verurteilt worden ist. Der Dozent war in demselben Strafverfahren aus Mangel an Beweisen freigesprochen worden."

„Die Rechte des Beschuldigten und Angeklagten" lautete denn auch eine mehr oder weniger regelmäßige Spalte in jenen selten mehr als zwanzig Seiten umfassenden, DIN A 5-formatigen Zeitschriften mit den Namen „Der Weg", „Der Kreis", „Freond", oder „Humanitas". In ihnen machten sich Homosexuelle gegenseitig Lebensmut und wärmten sich angesichts der feindlichen Umwelt an den Lebensberichten berühmter Homosexueller der Geschichte. Neben juristischen Ratschlägen über das Verhalten im Polizeiverhör, bei Festnahmen, Razzien, Beschlagnahmungen und Wohnungsdurchsuchungen finden sich stets auch Artikel, die über Leonardo da Vinci, Henri Dunant, Polykrates, August von Platen, den Preußen-König Friedrich II. oder andere „Große" berichteten. Das war wichtig, denn sie konnten dem eingeschüchterten, isolierten und an dem „Wert" seines Lebens häufig verzweifelnden Homosexuellen helfen, seine von Staat und Gesellschaft diffamierte Sexualität zumindest ein wenig zu akzeptieren. Die Funktion dieser Heftchen wird deutlich in einem Brief, den ein Leser 1954 an die „Humanitas" schrieb: „Glauben Sie mir: Ich habe Furchtbares hinter mir. Alles davon kann ich dem Papier nicht anvertrauen. Ich bringe es einfach nicht fertig. Vor wenigen Wochen erst kehrte ich aus einer psychiatrischen Behandlung zurück, in die man mich genommen hatte, nachdem man mich gerade noch von dem zweiten Selbstmordversuch hat abhalten können. Ich war wochenlang völlig apathisch. Bis mir Ihre Zeitschrift in die Hände fiel: das war das, was ich schon lange suchte. Ihre Artikel geben mir Kraft, reißen mich aus meiner Apathie und verleihen mir neuen Lebensmut, den ich bis dato nie gekannt habe. Billigen werden Sie es wohl nie, aber können Sie wenigstens verstehen, daß es Situationen gibt, wo man an sein eigenes Leben Hand anlegt? Bin ich nach alldem noch wert, ein Glied der menschlichen Gesellschaft zu sein?" Zugleich vermittelten die

Blätter auch die Adressen von homosexuellen Lokalen in den Großstädten, auf die die Betroffenen in besonderem Maße angewiesen waren, um ihre Isolierung zu überwinden. Freilich blieben diese Gaststätten stets ein Ort, wo nach amtlichem Sprachgebrauch „der Unsittlichkeit Vorschub geleistet" wurde, so daß die Polizei häufig Razzien vornahm. „Im Herbst 1953 wurden in München vier Lokale, in denen angeblich homosexuelle Männer verkehren, von der Polizei umstellt und die Personalien aller Gäste notiert. Wie verhält man sich persönlich in einem derartigen Fall?" Fragen dieser Art wurden dem Juristen des angeschriebenen Blattes ständig gestellt, denn die Furcht, nach einer Razzia „in die geheime Karte der Verdachtsfälle eingereiht zu werden", blieb ständiger Begleiter während des Besuches in einer „schwulen" Kneipe. Geheime „Rosa Listen", spätestens seit Ende des 19. Jahrhunderts eingeführt, blieben in der wechselvollen Geschichte der deutschen Justiz stets ein Geschenk, welches das eine Reich der anderen Republik vermachte.

Selbstverständlich konnte es nicht ausbleiben, daß der Vorwurf der Homosexualität auch für die Erfordernisse des „Kalten Krieges" funktionalisiert wurde. Besonders der „Volkswartbund" des Kölner Amtsgerichtsrats Richard Gatzweiler trat hier durch besonderen Ideenreichtum hervor: Als „Moskaus neue Garde" würde „die Partei der Invertierten" geheim organisiert sein, behauptete er in seinen verbreiteten Broschüren. Die Homosexuellen seien eine „ungeheure Gefahr für die junge deutsche Demokratie". Schon jetzt sei festzustellen, daß sie in die „Ostzone flüchten", und bedenke man, „daß z.B. die Ostzone Homosexualität praktisch weiterhin duldet, so erkennt man die Größe der Gefahr, wenn sich die Bolschewisten die Invertierten in der Bundesrepublik gefügig machen". Bis weit in die sechziger Jahre hinein prangerte die „Moralische Aufrüstung", ein vornehmlich mit US-Geldern ausgestattete internationale christliche Kampfvereinigung gegen Sittenverfall und Kommunismus, in ganzseitigen Anzeigen in der Tagespresse die Verworfenheit von „Homosexualität, lesbischen Beziehungen, Pornographie, ‚Pluralismus', Ehebruch" usw. an und

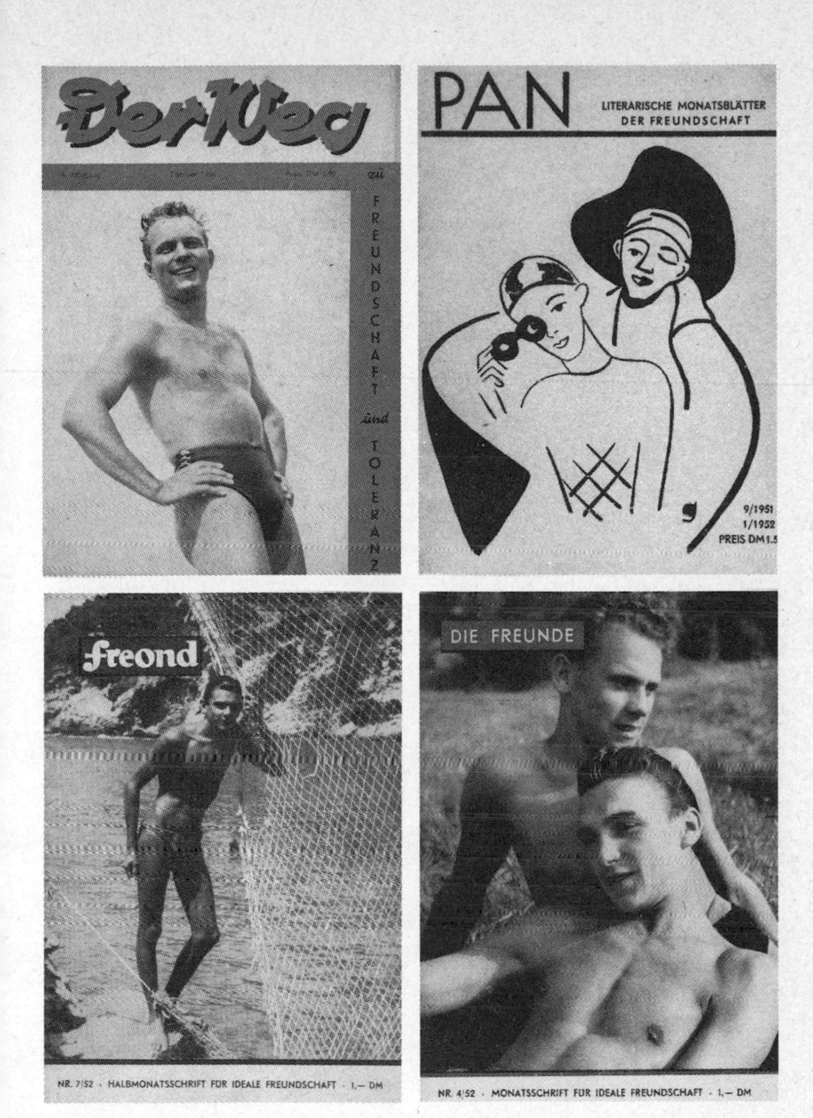

Homosexuellen-Zeitschriften aus den frühen 50er Jahren
(Fotos: Philipp Salomon)

kämpfte gegen „sexuell Pervertierte und Kompromittierte in einflußreichen Stellungen, die Spione und Landesverräter dekken". Und noch 1967 entdeckte die Illustrierte „Quick" wieder ein homosexuelles „Komplott des Jahrhunderts": „Kennedys Mörder waren krankhafte Homosexuelle."

In einem solchen politischen Klima war es ausgeschlossen, an die Tradition und Organisationsformen der homosexuellen Bürgerrechtsbewegung aus der Weimarer Zeit anzuknüpfen. So scheiterte in Frankfurt bereits im Jahre 1949 der Versuch zu einer Neugründung des „Wissenschaftlich-humanitären Komitees". Man wolle, so argumentierte das Stadtgesundheitsamt Frankfurt, keine neue „Laienorganisation", die sich die Abschaffung des Paragraphen 175 zum Ziel setzt und in der jedermann Mitglied werden könne. Diese Bedenken, so F. Pfäfflin in der Einleitung eines Nachdrucks der Mitteilungen des alten WhKs, ließ die Stadt erst mit der Gründung der „Deutschen Gesellschaft für Sexualforschung" am 12. April 1950 fallen. Der Grund: Im „Präsidium und im Beirat der Gesellschaft" seien „hervorragende Vertreter der Wissenschaft, die wohl die Gewähr für eine wissenschaftlich einwandfreie Arbeit bieten". Kurt Hiller machte 1962 als Achtundsiebzigjähriger noch mal einen Versuch, das alte WhK ins Leben zu rufen, und schrieb am 6. März 1963 an einen Bremer Freund: „Die Gründungssitzung findet Sonntag 24/III, 15.15 (Uhr) ... in der Wohnung der WHK-Mitglieder Juan Allende und Gerd Zacher statt, Hamburg (Nähe Dammtor), Mittelweg 166 A III." Über die Auswirkungen dieses Versuchs ist wenig bekannt.

Vor allem in der Kriminalstatistik der fünfziger und sechziger Jahre wird deutlich, welches Ausmaß die Anwendung des Paragraphen hatte. Seit 1950 stieg die Zahl der Verurteilten *(Tabelle 7)* von knapp 2000 kontinuierlich an und erreichte im Jahre 1959 mit mehr als 3500 ihren Höhepunkt. Allein in den ersten fünfzehn Jahren wurden in der Bundesrepublik insgesamt fast 45 000 Personen verurteilt. Ein Vergleich mit den Verurteilungszahlen für die fünfzehn Jahre des Bestehens der Republik von Weimar (hier: 1918 bis 1932) zeigt die Agressivität der „neuen" Republik gegenüber den Homosexuellen: Während in

Weimar insgesamt 9375 Personen verurteilt worden waren, so hatte sich die Zahl unter dem Schutz des Grundgesetzes mehr als vervierfacht. Dabei zeigt die Polizeistatistik für die Bundesrepublik Deutschland, daß nur etwa jeder Vierte der Polizei gemeldete Fall von Homosexualität abgeurteilt wurde. Die Statistik gibt 7100 „gemeldete Fälle" für das Jahr 1953 an, die bis zum Jahre 1959, dem Höhepunkt der Verfolgung, auf rund 8700 anstiegen und insgesamt für den Zeitraum von 1953 bis 1966 zusammen mehr als 100000 betrugen (vgl. J. Baumann 1968, S. 66).

Tabelle 7: Vergehen nach Paragraph 175 StGB 1950 bis 1965
Quelle: Baumann, a.a.O., Seite 64f

Jahr	Rechtskräftige Abgeurteilte	Rechtskräftig Verurteilte
1950	2246	1920
1951	2635	2167
1952	2961	2176
1953	2869	2388
1954	3230	2564
1955	3075	2612
1956	3247	3124
1957	3630	3182
1958	3679	3530
1959	1111	3530
1960	3694	3143
1961	3496	3005
1962	3686	3098
1963	3439	2803
1964	3498	2907
1965	3104	2538
	52633	44231

Es sind Fälle belegt, in denen Homosexuelle das KZ überlebten, und anschließend, noch mehrmals wegen „gleichgeschlechtlicher Unzucht" verurteilt, bis zu fünf Jahren in bundesdeutschen Gefängnissen und Zuchthäusern einsaßen. Eine Wiedergutmachung für erlittenes NS-Unrecht wurde Homosexuellen nicht zugestanden. Abgesehen davon, daß es auch angesichts der fortbestehenden scharfen Verfolgung kaum einer der überlebenden „rosa Winkel"-Träger gewagt hätte, auf sein

Überleben und seine Existenz aufmerksam zu machen, sah das im Oktober 1957 ergangene „Bundesentschädigungsgesetz“ (BEG) auch keinerlei Ansprüche Homosexueller (und verschiedener anderer Personengruppen) vor. Nach Paragraph 1 des Gesetzes wurden als Opfer nationalsozialistischer Verfolgung nur Personen angesehen, die aus Gründen politischer Gegnerschaft gegen den Nationalsozialismus oder aus Gründen der Rasse, des Glaubens oder der Weltanschauung durch NS-Gewaltmaßnahmen verfolgt wurden. Alle Personengruppen, die als Folge der rassenhygienisch motivierten NS-Bevölkerungspolitik Schaden erlitten hatten, fielen durch dieses Netz. Im Sinne dieses Gesetzes beruhten daher die gegen Homosexuelle ergriffenen Willkürmaßnahmen, insbesondere auch die Einweisung in ein KZ nach regulärer Haftverbüßung (aber auch nach Freispruch) auf Maßnahmen, die der NS-Staat aus „Gründen der Ordnung und Sicherheit“ durchgeführt habe. So jedenfalls argumentierten Blessin/Ehrig/Wilden 1960 in einem Kommentar zu den Bundesentschädigungsgesetzen.

Wie restriktiv die gesamte Frage der Wiedergutmachung durchgeführt wurde, zeigte sich besonders extrem am Beispiel der Roma und Sinti. Sie gehörten zwar zum unmittelbaren Personenkreis des Paragraphen 1 BEG, doch entschied der Bundesgerichtshof 1956, daß erst nach dem „Auschwitz-Erlaß“ (Anordnung der „Endlösung“) vom 16. Dezember 1942 die entschädigungswirksame rassische Verfolgung einsetzte. Mit anderen Worten konnte dies nur bedeuten: Die Wiedergutmachung beginnt mit dem Tod. Alle vor jenem Datum begangenen NS-Gewalttaten an dieser Gruppe wurden zunächst mit der Begründung abgelehnt, daß sie wegen „der asozialen Eigenschaften der Zigeuner“ verursacht worden wären.

Aus rassenhygienischen Gründen von einem „Erbgesundheitsgericht“ nach dem „Gesetz zur Verhütung erbkranken Nachwuchses“ vom 14. Juli 1933 zwangssterilisierte Personen erhielten nur dann eine Entschädigung, wenn eine „Amtspflichtverletzung“ des Gerichtes vorlag oder die Sterilisation über die Unfruchtbarmachung hinaus zu Schäden geführt hatte. Im übrigen stellten sich Bundesregierung und höchste bundesdeutsche Gerichte auf den Standpunkt, daß das „Erbgesundheitsgesetz“ kein „typisch nationalsozialistisches Gedankengut“ enthalten habe.

Aber auch Personen, die nach Paragraph 1 BEG aus politischen Gründen verfolgt worden waren, wurde Wiedergutmachung verweigert. So hieß es im Paragraphen 6 BEG, daß Personen, die nach dem 23. Mai 1949 die freiheitlich-demokratische Grundordnung im Sinne des Grundgesetzes bekämpft hätten, trotz NS-Verfolgung von der Wiedergutmachung ausgeschlossen seien. Das waren vor allem Kommunisten, deren Partei, die KPD, im Jahre 1956 in der Bundesrepublik als „verfassungsfeindlich“ verboten worden war. Gerade diese politische Gruppe hatte den Wiederstand gegen das NS-Regime intensiv geführt und war daher unter den Trägern des „roten Winkels“ in den KZ besonders häufig vertreten.

Verfolgte, die während der NS-Zeit über eine Haftstrafe hinaus in Konzentrationslager verschleppt worden waren, konnten allerdings – für eine sehr kurze Zeit – Forderungen nach dem „Allgemeinen Kriegsfolgengesetz“ (AKG) erheben. Das Gesetz, im Januar 1958 rechtsgültig geworden, regelte diese Ansprüche aber über eine Ausschlußfrist: Sie endete am 31. Dezember 1959. Ob und gegebenenfalls in welchem Umfang Homosexuelle davon Gebrauch machten (für einen Monat KZ-Haft wurden 150 Mark aufgerechnet), ist lange unbekannt geblieben. Eine Anfrage beim „Wissenschaftlichen Dienst des Deutschen Bundestages“ erbrachte am 20. Dezember 1982 die Antwort, daß „laut Auskunft des zuständigen Referats beim Bundesministerium der Finanzen keine gesonderten statistischen Anschreibungen über die Anträge NS-verfolgter Homosexueller geführt“ worden seien. Im übrigen aber, so hieß es weiter, könne „unterstellt werden, daß alle gestellten Anträge ... positiv beschieden worden sind, soweit die materiell- und formalrechtlichen Voraussetzungen im einzelnen erfüllt waren.“

Zumindest die Auskunft, daß eine gesonderte „Anschreibung“ von Anträgen Homosexueller nicht vorgenommen würde, ist unrichtig. Vielmehr mußte die Bundesregierung einige

Jahre später (Drucksache 10/6287 v. 31. Oktober 1986) zu berichten, daß „von Homosexuellen insgesamt 23 Anträge nach dem AKG gestellt wurden." Wie diese Anträge beschieden worden sind, ist unbekannt. Weitere „neun Eingaben von homosexuellen Einsendern" erfolgten, nachdem im Dezember 1980 in einer Fernsehsendung auf Entschädigungsmöglichkeiten im Rahmen einer Härteregelung hingewiesen wurde. Davon betrafen, so die Bundesdrucksache aus dem Jahre 1986 weiter, „lediglich vier Eingaben Fälle, die unter das AKG fielen, weil die Betroffenen wegen homosexueller Handlungen rechtsstaatswidrige KZ-Haft erlitten hatten."

Daß dies nur eine „geringe Anzahl" ist, fiel auch in der Bundesregierung auf. Ausdrücklich wies sie aber darauf hin, daß der Grund dafür keinesfalls im Fortbestehen der regiden NS-Fassung des Paragraphen 175 in der Bundesrepublik liegen könne. Schließlich würde ja „nur die homosexuelle Betätigung strafbar" gewesen sein, „selbstverständlich aber nicht eine entsprechende Veranlagung." Und darüber hinaus hätte „für die zur Entgegennahme der Anträge zuständigen Behörden keine Anzeigepflicht gegenüber den Strafvollzugsbehörden (bestanden)."

Im übrigen, so die Bundesregierung weiter, könne die NS-Fassung des Paragraphen 175 StGB überhaupt kein NS-Gedankengut enthalten, weil diese NS-Fassung ja in der freiheitlich-demokratischen Bundesrepublik unverändert weiterbestanden habe, denn: „Die Bestrafung homosexueller Betätigung in einem nach den strafrechtlichen Vorschriften durchgeführten Strafverfahren ist weder NS-Unrecht noch rechtsstaatswidrig." Da eine typische NS-Verfolgung der Homosexuellen (bis auf die KZ-Haft) geleugnet wird, liegt der Schluß durchaus nahe, daß nach einer erneuten Verschärfung des Paragraphen 175 StGB die Einrichtung einer „*Bundes*zentrale zur Bekämpfung der Homosexualität und Abtreibung" nach dem Vorbild der „Reichszentrale" des Jahres 1936 ebenso rechtsstaatlich wäre, wie die Bezeichnung „Staatsfeinde" für Homosexuelle.

In der hier zitierten Bundesdrucksache behauptete die christlich-liberale Bundesregierung 1986 zugleich, daß „einer der

Ehrung für die homosexuellen Opfer der Nationalsozialisten:
Gedenksteinsetzung im ehemaligen KZ Neuengamme im Mai 1985
(Foto: Philipp Salomon)

Hauptgründe, weshalb das NS-Regime homosexuelle Vergehen sehr scharf verfolgte, die Überzeugung (war), daß durch derartige Beziehungen Abhängigkeitsverhältnisse entstünden, die im politischen und militärischen Bereich gefährlich werden könnten. Aus diesem Grunde oblag die Bekämpfung der Homosexualität vorwiegend der Gestapo." Diese Feststellung ist schlichtweg falsch. Weder in den NS-Begründungen zur Verschärfung des 175, noch im Gründungserlaß und den diversen Durchführungsverordnungen zu jener „Reichszentrale" tauchte eine solche Behauptung auf.

Seit in den achtziger Jahren die „vergessenen Opfer des NS-Regimes" stärker in das Bewußtsein der demokratischen Öffentlichkeit gerieten und durch zahlreiche Bürgerinitiativen nicht nur ihr Schicksal erforscht, sondern zugleich auch die „vergessene" Wiedergutmachung thematisiert wurde, entschloß sich die Bundesregierung (CDU/CSU, FDP) am 3. Dezember 1987 zu einer „endgültigen Regelung" dieser Frage. Danach soll in den Jahren 1988 bis 1991 ein Betrag von insgesamt dreihundert Millionen Mark zur Entschädigung der bisher ausgeschlossenen Opfer bereitgestellt werden. Oppositionsparteien und Betroffenen-Gruppen äußerten sich allerdings bereits pessimistisch, was die Wirksamkeit dieser Maßnahmen betrifft.

Bei offiziellen Gedenkveranstaltungen der Bundesregierungen bleiben die bisher „vergessenen Opfer" jedoch weiterhin vergessen. Eine Ausnahme machte lediglich Bundespräsident von Weizsäcker in seiner vielbeachteten Rede zum 40. Jahrestag der Befreiung. Darin schloß zum erstenmal in der Geschichte der Bundesrepublik der höchste Repräsentant des Staates auch die Homosexuellen in das Gedenken an die Opfer des Dritten Reiches ein. In den offiziellen Gedenkstätten bleibt ihr Schicksal dagegen immer noch weitgehend unerwähnt. Um so mehr Beachtung fand eine Veranstaltung im ehemaligen KZ Neuengamme, wo im Mai 1985 Mitglieder verschiedener Hamburger Homosexuellen-Gruppen in Anwesenheit offizieller Vertreter der SPD, der FDP und der Grünen einen Gedenkstein setzten.

Die Gründung von Homosexuellen-Gruppen setzte ein, nachdem der Paragraph unmittelbar nach der „Großen Koalition" zwischen CDU/CSU und SPD 1969 reformiert worden war. Entscheidenden Anteil daran hatte der sozialdemokratische Justizminister und spätere Bundespräsident Gustav Heinemann. Nach der reformierten Fassung war die Homosexualität unter Erwachsenen jetzt zwar straffrei, jedoch wurde mit Gefängnis bestraft „ein Mann über achtzehn Jahre, der mit einem anderen Mann unter 21 Jahren Unzucht treibt oder sich von ihm zur Unzucht mißbrauchen läßt". Das Nachrichtenmagazin „Der Spiegel" stellte dann angesichts dieser Diskrepanz auch sogleich ironisch fest: „Als eines der wenigen Länder der Welt wird damit die Bundesrepublik an der Meinung festhalten, daß Jugendliche zwischen 18 und 21 Jahren zwar wehrdiensttauglich, aber nicht zur freien Willensentscheidung über ihr Geschlechtsleben fähig seien – sofern es sich um Homosexuelle handelt." Im November 1973 wurde diese Regelung schließlich verworfen und die Straflosigkeit ab dem 18. Lebensjahr eingeführt. Als unzeitgemäß fallengelassen wurde zugleich auch der antiquierte Ausdruck „Unzucht“ und durch den Begriff „sexuelle Handlung“ ersetzt.

Die Reformen freilich waren von den damit befaßten Koalitionen durchaus nicht einstimmig vorgenommen worden. Heftige Auseinandersetzungen, die quer durch die Parteien verliefen, begleiteten sie. So sprach der Ausschußvorsitzende Güde (CDU/CSU-Fraktion) 1969 davon, daß es „sozusagen eine Instinkthaltung der Völker“ gegen die gleichgeschlechtliche Unzucht gebe und zugleich „ein paar tief verwurzelte Anschauungen, die der Gesetzgeber nicht einfach wegmanipulieren kann – Tabus, die sich mit schwächlichen Aussagen nicht aus der Welt schaffen lassen. Das sitzt noch tiefer als das Sittengesetz“. Auch der amtierende Justizminister Ehmke (SPD) betonte, daß mit der Reform „keine moralische Billigung“ homosexuellen Verhaltens verbunden sei.

Gleichzeitig mit den Reformen des Paragraphen 175 verlief auch die Debatte um den Paragraphen 218: Emotionalisiert, von religiösen Glaubenshaltungen und tief verwurzelten Anschauungen geprägt, konnte sich die von der SPD/FDP-Koalition beschlossene „Fristenlösung“ nicht halten, nachdem die CDU/CSU-Fraktion eine Entscheidung des Bundesverfassungsgerichtes gefordert hatte. Das Gericht verwarf die „Fristenregelung“ am 25. Februar 1975 als verfassungswidrig, worauf es schließlich 1976 zu einem Kompromiß zwischen den beiden Volksparteien in Form der heute gültigen „Indikationslösung“ kam. Beide Reformen, durch gegenseitige Abstimmung der beiden großen Parteien zustande gekommen, offenbaren (vor dem Hintergrund weltweit überfüllter Arbeitsmärkte und fortschreitender Technisierung und Rationalisierung der Produktionsprozesse) insofern eine Trendwende in der staatlichen Bevölkerungspolitik, als auf die strenge Anwendung der klassischen Instrumentarien einer quantitativen Bevölkerungspolitik verzichtet wurde. Die gleichzeitig mit der Studentenrevolte Ende der sechziger Jahre einsetzende „sexuelle Revolution“ führte zu einer Auflockerung jener traditionellen Fortpflanzungsmoral, die sich wiederum parallel zu einem deutlichen Rückgang des Einflusses der öffentlichen Religionsgemeinschaften und ihres „Sittengesetzes" entwickelte. Die katholische Bischofskonferenz konstatierte im Mai 1987 „wellenartige Austrittbewegungen", die seit den siebziger Jahren anhalten und 1985 mit 75000 Kirchenaustritten „ihr Maximum in der Nachkriegszeit" erreichten. Ein ähnlicher Trend ist in der evangelischen Kirche festzustellen.

Das „Sittengesetz" freilich wird von beiden Konfessionen weiterhin propagiert und verfügt, da die katholische Kirche in der Bundesrepublik 26,3 Millionen und die evangelische 25,1 Millionen Mitglieder aufweist (Angaben für 1985), immer noch über ein starkes gesellschaftspolitisches Machtpotenial. Für den Vatikan, die höchste katholische Moralinstanz, stellen Homosexualität, vor- und außerehelicher Geschlechtsverkehr, Onanie, Abtreibung und Verhütung weiterhin Sünden und Verstöße gegen die „göttliche Schöpfungsabsicht" dar. Auch die „Evangelische Kirche Deutschlands" (EKD) duldet Homosexuelle, insbesondere als kirchliche Mitarbeiter, nicht. „Die öffentliche Verkündigung ist berührt", vermerkte das Landeskirchenamt Hannover 1981 im Entlassungschreiben an einen homosexuellen Pastor, der in einer gleichgeschlechtlichen Partnerschaft lebte: „Das Lebenszeugnis des Mitarbeiters darf .. nicht zu der der Kirche aufgetragenen Botschaft in ... Widerspruch stehen. Den Aussagen der Bibel über die als von Gott gewollt anerkannte Gemeinschaft von Mann und Frau, die auf Nachkommenschaft angelegt ist, widerspricht aber eine öffentlich mit dem Anspruch auf Anerkennung gelebte eheähnlich ausgeprägte homophile Partnerschaft." Aber auch andere kirchliche Mitarbeiter fallen unter dieses Verdikt.

Mit ihrer 1980 herausgegebenen Schrift „Gedanken und Maßstäbe zum Dienst von Homophilen in der Kirche" hat die „Vereinigte Evangelisch-Lutherische Kirche Deutschlands" (VELKD) bei aller ideologischen Gebundenheit doch empfohlen, den Homophilen „als Nächsten" zu akzeptieren, vorhandene gesellschaftliche Diskriminierung zu beseitigen und ihm „Hilfen zur Selbstannahme" und „zur Bearbeitung seiner Lebensgestaltung" zu bieten. Gegenüber der „Denkschrift zu Fragen der Sexualethik" der EKD aus dem Jahre 1971 bedeutete diese Haltung einen erheblichen Fortschritt. Hier hieß es zwar, daß „die weitverbreitete unreflektierte Verurteilung ... als widernatürliches schuldhaftes Verhalten ... nicht beibehalten werden“ solle, doch wußten die Theologen gleichzeitig, daß Homosexualität mitunter „durch angeborene oder erworbene hirnorganische Schäden“ zustande komme. Daher sei „eine betreuende Führung, unter Umständen eine medikamentöse oder operative Behandlung mit dem Ziel möglich, die drängende homosexuelle Triebhaftigkeit zu mildern.“

„Göttlicher Heilswillen“ und „göttliches Schöpfungsgebot“ haben daher wohl auch das Skalpell in der Hand des Chirurgen geführt, denn die „Heilungsversuche“ an Homosexuellen waren seit Mitte der sechziger Jahre um eine chirurgische Variante erweitert worden. Die in der „Denkschrift“ angesprochene „operative Behandlung“ bestand in einem sogenannten „psychochirurgischen“ Eingriff in das Gehirn, wobei durch gezielte Zerstörung von Teilen des Zwischenhirns abweichendes sexuelles Verhalten behoben werden sollte. Das Verfahren, in Hamburg, Freiburg, Göttingen, Frankfurt und Homburg bis Ende der siebziger Jahre angewendet, war in Tierexperimenten entwickelt worden. Dabei setzten die Ärzte die sexuellen Paarungsaktionen bei Tieren umstandslos dem sexuellen Fühlen und Verhalten des Menschen gleich. Sie offenbarten damit jenes mechanische Sexualverständnis, das – traditionellem Biologismus verhaftet – den Fortpflanzungsaspekt der Sexualität ideologisierte.

Die Übertragung durch Experimente an Tieren gewonnener Erkenntnisse auf den Menschen blieb aber durchaus keine bundesdeutsche Spezialität. So fand der DDR-Endokrinologe Professor Dörner in den siebziger Jahren heraus, daß unter Streß gesetzte Ratten ihr Fortpflanzungsverhalten aufgaben und homosexuelle Handlungen begingen. Schuld daran sollte ein Streßhormon sein, das in ähnlicher Form auch bei gestreßten schwangeren Frauen auftrete und den menschlichen Embryo schwul mache. Durch Hormongaben könne nun die unerwünschte Homosexualität vermieden werden. Dörner behauptete, daß nach dem Krieg in der DDR besonders viele

Homosexuelle geboren wurden und führte das u.a. auf den Streß der Mütter während der alliierten Bombenangriffe zurück. Bei der Simulierung von Streß wurden die Laborratten nun aber nicht, was nahegelegen hätte, auch mit Bomben beworfen, sondern auf andere Weise gestreßt, so daß die wissenschaftlichen Ergebnisse der Experimente schon aus diesem Grunde fragwürdig bleiben müssen. Auffallend ist in diesem Zusammenhang zugleich die Tatsache, daß seinerzeit der NS-Forscher Theo Lang gegenüber Himmler die Vermutung äußerte, daß die massive Verfolgung der Homosexuellen ihre Flucht in die Ehe begünstige und somit in der nächsten Generation besonders viele Homosexuelle geboren würden. Das muß nun wohl auf dem Staatsgebiet der DDR offenbar wirklich eingetreten sein und damit jene Wirkung hervorgerufen haben, die Dörner irrtümlich dem Bombenkrieg zuschrieb. Die „Deutsche Gesellschaft für Sexualforschung" jedenfalls klassifizierte die Dörnersche Wissenschaft mit den Worten, sie spiele „ganz offen mit der Möglichkeit einer endokrinologischen Euthanasie der Homosexualität".

Obwohl mit den Reformen des Paragraphen sich allgemein eine Tendenz zur gesellschaftlichen Tolerierung der Homosexualität bemerkbar macht, blieben jedoch Forschungen zur Entstehung „sexuell devianten" Verhaltens in der Wissenschaft stets aktuell. „Entsteht Homosexualität im Gehirn?" fragte im Januar 1988 die Zeitschrift „Psychologie heute" und griff dabei nicht nur die Dörnerschen Thesen auf, sondern zugleich US-amerikanische Theorien, wonach Homosexualität durch „das Zusammenspiel von Hormonen und psychischen Belastungen" schon im Uterus entstehe. Obwohl derartige Theorien vor allem die Verführbarkeit zur Homosexualität ausschließen und somit den vom Gesetzgeber aus Jugendschutzgründen beibehaltenen „Rumpf"-Paragraphen 175 überflüssig machten, lehnt die nach 1969 entstandene homosexuelle Bürgerrechtsbewegung derartige Forschungen einmütig ab. Dabei argumentieren die Aktivisten mit der historischen Erfahrung, daß die Ursachenforschung Teil der gegen Homosexuelle gerichteten Repression und Ausdruck der Nichtakzeptanz ihrer Minderheit sei.

Tatsächlich läßt sich feststellen, daß Anti-Homosexualität häufig mit dem Hinweis einhergeht, es ständen genügend wissenschaftlich abgesicherte Therapien zu ihrer Heilung bereit. Seit sich im Gefolge der bürgerlichen Aufklärung das mittelalterliche Verfolgungsmuster „Sünde" abnutzte und eine säkularisierte (Natur-) Wissenschaft das Modell „Krankheit" entwikkelte, hat denn auch jeder historische Zeitabschnitt die ihm adäquate Therapie-Form propagiert und damit seinen wissenschaftlichen Beitrag zur ideologischen Absicherung der Fortpflanzungsmoral erbracht. Häufig, besonders im psychologisch/psychoanalytischen Wissenschaftsbereich, wurden die Erfolge allerdings von der Intensität der Mitarbeit des Probanden abhängig gemacht: Litt er, dann wurden die Heilungschancen als günstig angesehen, litt er nicht und kam auf Druck von Eltern oder sonstigen Autoritäten, standen die Chancen schlecht. So blieben denn Leiden und Freuden der Homosexuellen stets abhängig von der Toleranz und der demokratischen Qualität, mit der die Gesellschaft ihre sexuelle Orientierung bedachte. Daher wird in ihrer Bürgerrechtsbewegung der Frage nach der wissenschaftlichen Legitimation zur Zeit nur noch eine untergeordnete Rolle beigemessen und die gesellschaftliche Emanzipation vor allem auf die Sicherung eines demokratischen Freiraums abgestellt. Das freilich schließt eine kritische Beobachtung der aktuellen wissenschaftlichen Erklärungs- und Forschungsmodelle auf ihren Demokratiegehalt nicht aus: Als am anthropologischen Institut der Universität Hamburg 1985 eine Studie über hormonale Bedingtheit von Persönlichkeitsmerkmalen und Körperbau durchgeführt werden sollte und zu diesem Zweck auch einer homosexuellen „Kontrollgruppe" Blut- und Speichelproben abgenommen wurden, rief dies den einmütigen Protest schwuler Emanzipationsgruppen hervor, der schließlich auch zum Abbruch der Studie führte.

Die Homosexuellen-Frage, in der Vergangenheit stets auch mit der Frage der Ehe- und Familienfähigkeit verbunden, hat mit der Entstehung neuer Lebensformen („Ehe ohne Trauschein", Wohngemeinschaften) und der Herausbildung der „Singles" als Lebensstil eine neue Dimension erfahren. Probleme der sexuellen Orientierung scheinen angesichts der Gleichartigkeit von Fragen nach befriedigender individueller Lebensgestaltung nicht mehr die überkommene Relevanz zu haben, sondern eher zu einer Integration der Homosexuellen in diesen Teil der Gesellschaft zu führen. Bisher haben auch die Berechnungen einer interministeriellen Bonner Arbeitsgruppe, wonach die Zahl der Deutschen von derzeit 56,9 Millionen auf 50 Millionen im Jahre 2000 und 38,2 Millionen im Jahre 2030 zurückgehen wird, noch zu keiner dramatischen Wende in der Familien- und /oder Bevölkerungspolitik geführt. Abgesehen von der Rentenfinanzierung, die traditionell mit Blick auf die Alterspyramide gestellt wird, sind explizit bevölkerungspolitische „Sorgen“ in den letzten Jahren lediglich im militärischen Zusammenhang öffentlich geäußert worden.

Freilich bleibt nicht zu übersehen, daß die jenseits der überkommenen Familienstrukturen entstandenen neuen Formen des Zusammenlebens besonders im konservativen politischen Lager mit tiefem Mißtrauen beobachtet werden. Der CSU-Vorsitzende Strauß etwa sprach, einer Meldung der „Frankfurter Allgemeinen“ vom 1. September 1980 zufolge, angesichts dieser gesellschaftlichen Erscheinung von der „Auflösung“ überkommener „Werte“ als etwas „Bösem“: „Das Böse ist die anarchische Auflösung von Werten und Ordnungen: wäre etwa staatliche Unterstützung aller Formen des Zusammenlebens einschließlich der homosexuellen Verbindungen, völlige Abtreibungsfreiheit ...“. Dementsprechend erfordere „die Toleranz Intoleranz gegen das Böse“.

Praktische Erfahrungen mit den Folgen solcher Sprüche der umgedrehten Art machte die neu entstandene Bürgerrechtsbewegung der Homosexuellen freilich des öfteren. Informationsständen auf den Straßen, mit denen Aktivisten auf die Lage der Homosexuellen in der Gesellschaft hinwiesen und für Toleranz warben, wurden an manchen Orten die behördliche Genehmigung versagt. „Auf Grund der Tatsache, daß die Allgemeinheit Homosexualität als unsittlich ablehnt“, formulierte noch 1980 ein bayrischer Staatsdiener in einem Verweigerungsbescheid, „ist die Stadt Ingolstadt im Interesse der Allgemeinheit verpflichtet, das Sittlichkeitsempfinden der Bevölkerung durch eine Versagung des Informationsstandes zu wahren." Die amtlich geschützte „Allgemeinheit" bedachte derartige Entscheidungen seiner Stadtväter denn auch häufig mit einer Zustimmung, die mangelndes Rechtsbewußtsein gegenüber einer Minderheit als staatsbürgerliche Tugend mißverstand. „Wer glaubt, er könne Freiheit in unserer Bundesrepublik als ‚Minderheit' zur Auflösung und Zerstörung unserer Kultur und unseres Staates mißbrauchen", so kommentierte etwa der Ulmer Bürger Walter Karlinger das Verbot eines Info-Standes in einem Leserbrief der „Südwest-Presse" (2. November 1981), „ist in Ulm fehl am Platze."

Fehl am Platze sahen sich 1973 auch die Mitglieder einer Aachener Schwulengruppe, deren Antrag auf Zulassung eines Info-Standes die Gerichte mehrere Jahre beschäftigte, ehe das Oberverwaltungsgericht Münster den Rechtsstreit zugunsten der Aachener Oberstadtdirektion 1975 entschied und deren Argumente ausdrücklich für Rechtens anerkannte. Bestätigt wurde mit diesem Urteil, daß Artikel 5 des Grundgesetzes für die homosexuelle Bürgerrechtsbewegung ungültig ist. „Artikel 5 des Grundgesetzes", so hatte der Aachener Oberstadtdirektor geltend gemacht, „steht der von mir getroffenen Entscheidung nicht entgegen, da das dort gewährleistete Grundrecht der Meinungsfreiheit seine Schranken in den Vorschriften der allgemeinen Gesetze findet, zu denen anerkanntermaßen auch das Ordnungsbehördengesetz (OBG) gehört." Mit diesem Gesetz hatte die Stadt den Info-Stand versagt und dabei argumentiert: „Nach § 1 OBG haben die Ordnungsbehörden die Aufgabe, Gefahren abzuwenden, durch die die öffentliche Sicherheit bedroht wird. Öffentliche Ordnung bedeutet den Inbegriff aller nicht in der Rechtsordnung festgelegten Normen, deren Befolgung nach der jeweils herrschenden sozialen und moralischen Auffassung als unerläßliche Voraussetzung menschlichen Miteinanderlebens angesehen wird ... Zur öffentlichen Ordnung gehört insbesondere die Wahrung der guten Sitten und des öffentlichen Anstands." Das Sittengesetz rangierte somit auch in dieser Gerichtsentscheidung über dem Grundgesetz.

Auf einer ähnlichen Grundlage argumentierte auch die Oberfinanzdirektion Düsseldorf im Jahre 1973, als die renommierte „Gesellschaft zur Förderung sozialwissenschaftlicher Sexualforschung e. V." einen Antrag auf Anerkennung der „allgemeinen Förderungswürdigkeit und Gemeinnützigkeit" stellte. Die Vereinigung hatte es sich unter anderem ebenfalls zur Aufgabe gemacht, „heute noch bestehende Vorurteile und Voreingenommenheiten gegenüber bestimmten sexuellen Verhaltensweisen abzubauen und zu verdeutlichen, daß es keine spezielle sexuelle Verhaltensweise gibt, die allein als ‚natürlich' und ‚normal' bezeichnet werden könnte". Eine Gesellschaft, so die Oberfinanzdirektion, die „auch auf eine öffentliche Tolerierung bzw. soziale Integration gleichgeschlechtlicher Beziehungen abziele", sei nicht als gemeinnützig anzuerkennen, vielmehr könnten „einer Förderung der Allgemeinheit nur Bestrebungen dienen, die die staatliche Ordnung respektieren und auf die sittlichen Vorstellungen der überwiegenden Bevölkerungsteile Rücksicht nehmen". Staatliche Ordnung und gesellschaftliche Integration der homosexuellen Minderheit schlossen sich demnach aus, und prinzipiell zeigte sich in derartigen Entscheidungen zugleich auch eine historische staatliche Kontinuität, die dem Homosexuellen den Stempel des Staatsfeindes aufdrückte, um die „heterosexuelle Grundstruktur" der Gesellschaft zu schützen. Dieses Motiv jedenfalls führte ein Sachbearbeiter des „Wissenschaftlichen Dienstes des Deutschen Bundestages" 1982 in einem Gutachten über die Verfolgung der Homosexuellen im Dritten Reich als ein mögliches Erklärungsmuster für die Ursache der NS-Politik gegenüber den Homosexuellen an. Er übersah dabei freilich, daß die Aufrechterhaltung jener „heterosexuellen Grundstruktur" durchaus kein typisches Merkmal der Homosexuellen-Verfolgung durch die Nazis darstellte. Vielmehr blieb staatliches Handeln sowohl vor und als auch nach der NS-Zeit stets diesem Dogma verpflichtet. Das spezifisch Trennende zwischen den Epochen bildete vielmehr die Art der Durchsetzung jener „Grundstruktur". Während der NS-Staat aus den dargestellten Gründen bereits jeden Verdacht auf Homosexualität terroristisch verfolgte, gestand die Bundes-

Coming Out: Demonstration von Schwulen- und Lesbengruppen in der Hamburger Innenstadt 1981 (Foto: Philipp Salomon)

republik nach den Reformen des Paragraphen 1969 und 1973 (Bundeskanzler Brandt: „Wir wollen mehr Demokratie wagen“) den Homosexuellen einen eigenen Freiraum zu, dessen Grenzen jedoch, wie die erwähnten Gericht- und Behördenentscheidungen zeigen, durchaus umrissen blieben. Freilich ist auch festzustellen, daß sie sich bundesregional durchaus unterschiedlich gestalteten. In Bayern blieben sie stets enger gezogen als in anderen Bundesländern.

So schaltete sich der CSU-Staat Anfang der siebziger Jahre aus der ARD-Fernsehkette aus, um seinen Bürgern den Empfang eines Films vorzuenthalten, der unter dem Titel „Nicht der Homosexuelle ist pervers, sondern die Situation in der er lebt“ der Minderheit einen blanken Spiegel ihrer Verhältnisse vorhielt und sie zu einer Veränderung ihrer Situation aufrief. Der Film (Regie: Rosa von Praunheim) löste nicht nur eine heftige Debatte unter den Betroffenen aus, sondern trug vor allem dazu bei, daß sich innerhalb weniger Jahre eine neue Bürgerrechtsbewegung der Homosexuellen bildete, die sich nun als Schwulenbewegung verstand. Durch die Übernahme des in der Gesellschaft abwertend benutzten Ausdrucks „schwul" sollte vor allem zum Ausdruck gebracht werden, daß man sich als Mitglied der Bewegung den gesellschaftlichen Repressionen stellte und bereit war, sich gegen sie zu wehren. Zugleich sollte mit diesem Ausdruck aber auch eine politische Abgrenzung zu jenen Homosexuellen vollzogen werden, die ihre sexuelle Orientierung als „homophil" oder „homoerotisch" umschrieben und damit nicht selten zugleich auch müde abwinkten, wenn es darum ging, sich für die eigenen Interessen zu engagieren. Mit der Parole „Auch Homophile sind schwul!" wurde deren „angepaßtes" und gesellschaftsunkritisches Verhalten ironisiert.

Besonders in der ersten Hälfte der siebziger Jahre erlebte die Schwulenbewegung, deren Mitglieder sich vorwiegend aus der Schicht der Studenten und Jungakademiker rekrutierte, eine rasche Ausdehnung in den Groß- und Universitätsstädten. Politisch den Zielen der Studentenbewegung nahestehend, versuchten ihre führenden Gruppen, zum Beispiel die „Homosexuelle Aktion Westberlin", erste theoretische Konzepte einer Emanzipation über die bestehende Gesellschaft hinaus zu entwickeln und zugleich eine Integration in die verschiedenen Organisationen der bundesdeutschen Linken vorzunehmen. Unter der Parole „Die Unterdrückung der (Homo-)Sexualität ist nur ein Spezialfall der allgemeinen Unterdrückung" marschierte 1972 erstmals in West-Berlin eine Gruppe von etwa zweihundert offen Homosexuellen in einem eigenen Block bei einer Mai-Demonstration mit und setzte damit ein Beispiel für andere homosexuelle Aktionsgruppen in West-Deutschland. In den folgenden Jahren gelang es, die homosexuelle Frage in verschiedenen Gruppierungen der Neuen Linken „einzubringen" und dort bestehende Vorurteile soweit abzubauen, daß homosexuelle Forderungen, insbesondere die nach endgültiger Streichung des Paragraphen 175, mitvertreten wurden. Freilich bedeutete die Festlegung der Schwulenbewegung auf eine radikale Gesellschaftskritik auch, daß sich das Gros der Homosexuellen dieser Bewegung gegenüber distanziert verhielt und die neu gewonnene Freiheit hauptsächlich dazu benutzte, lediglich von den Angeboten der rasch expandierenden Subkultur Gebrauch zu machen: Einschlägige Diskotheken, Cafés, Bars und Saunen nahmen diesen Drang dankbar auf.

Obwohl sich die Schwulenbewegung innerhalb ihres gesellschaftskritischen Ansatzes durchaus als politisch pluralistisch verstand, blieb auch ihr Verhältnis zu den wenigen „bürgerlichen“ Interessen-Organisationen der Homosexuellen gespannt. Als diese 1980 versuchten, in der Bonner Beethoven-Halle mit Vertretern der etablierten Parteien ein Hearing zur Homosexuellen-Frage durchzuführen, kam es zum Eklat. Radikale Exponenten der Schwulenbewegung, die wohl erkannt hatte, daß sich hier eine konkurrierende „Linie“ entwickelte, sprengten die Veranstaltung kurzerhand und zwangen die Organisatoren und ihre etwa eintausend aus allen Teilen der Republik angereisten Gäste zum Rückzug. „Das hat uns mindestens um 10 Jahre zurückgeworfen“, erklärte nach dem Bonner Debakel ein frustrierter Teilnehmer der Veranstaltung gegenüber dem homosexuellen Blatt „Emanzipation“. Wahrscheinlich hat er recht behalten. Zerstritten und/oder impotent blieben die Gruppen und Grüppchen der Homosexuellen, gleich ob schwul oder homophil, bis zum heutigen Tage. „Avanti Dilettanti“ polemisierte denn auch im Januar 1988 ein Autor im Magazin „Du & Ich“, der einzigen seit 1969 ununterbrochen existierenden Zeitschrift für Homosexuelle, und stellte fest, daß die schwulen „Aktions- oder Emanzipationsgruppen“ nichts anderes als Milieu-Freizeitvereine seien, die sich neben der traditionellen Subkultur etabliert hätten und deren einzige Bewegung die um sich selbst sei. Eine solche Einschätzung erinnert allerdings deutlich an jene Kritik, die einst das „Wissenschaftlich-humanitäre Komitee“ an den homosexuellen Vereinigungen der Weimarer Republik übte. Verglichen mit dem Organisationsgrad des „Dritten Geschlechts“ hat die Schwulenbewegung der Bundesrepublik tatsächlich nicht an die Traditionen der ersten deutschen Republik anknüpfen können. Das mag allerdings hauptsächlich daran liegen, daß der reformierte Paragraph 175 die nötige Motivation für eine Interessen-Organisation weitgehend beseitigt hat.

Unter Homosexuellen selbst ist sogar zuweilen die Meinung zu hören, daß der Paragraph gar nicht mehr existiere.

Damit befinden sie sich allerdings durchaus in politischer Gesellschaft. So vertrat auch der „Arbeitskreis Rechtswesen" der SPD-Fraktion im Juni 1980 in einer Erklärung zur endgültigen Streichung des Paragraphen die Auffassung, daß hierzu „nach unserer Ansicht keinerlei Notwendigkeit" bestehe, da mit der letzten Reform des Gesetzes 1973 „jegliche strafrechtliche Sonderbehandlung Homosexueller ... beseitigt worden" sei und „der bestehende § 175 einzig und allein die ungestörte sexuelle Entwicklung der Jugendlichen (schützt)". Hinter dieser eigenwilligen Rechtsauffassung verbarg sich jedoch nichts anderes als eine moderne Variante der traditionell präventiven Funktion des Paragraphen: Die strafrechtliche Sonderbehandlung der Homosexuellen war in ihrer gesamten Geschichte stets mit schutzwürdigen gesellschaftlichen Interessen legitimiert worden und diente – abgesehen von der NS-Zeit – der gesellschaftlichen Eingrenzung der Homosexualität. Wesentlich gradliniger argumentierte dagegen die zweite große Volkspartei. Ihr rechtspolitischer Sprecher Benno Erhard leugnete denn auch die Sonderbehandlung Homosexueller im Strafrecht nicht und erklärte 1980, daß die CDU/CSU-Fraktion wegen des Jugendschutzes nicht auf den Paragraphen verzichten könne.

Ob dieser Anspruch allerdings durch die Rechtspraxis erreicht wird, das bezweifelten Fachleute bei einem FDP-Hearing zum 175 entschieden. Von den rund siebenhundert jährlich der Polizei gemeldeten Fälle, bei denen über achtzehnjährige Männer mit jüngeren körperlichen Kontakt gesucht hatten, war durchschnittlich weniger als ein Drittel verurteilt worden: Die Gerichte hatten die meisten Verfahren wegen Geringfügigkeit eingestellt. Befand sich der Gesetzgeber mit seiner These von der Verführbarkeit zur Homosexualität immer schon in Beweisnot, so öffnete sich die Schere zwischen wissenschaftlicher Erkenntnis und Gesetz in den siebziger und achtziger Jahren noch weiter. Für die Humanwissenschaft, so führte der Hamburger Sexualforscher und Psychiater Professor Gunter Schmidt bei jenem Hearing aus, sei es „ein ganz ungewöhnlicher Tatbestand", daß sich Genetiker, Psychiater, Sozialwissenschaftler, Mediziner und Psychotherapeuten trotz sonst so gegensätzlicher Meinungen in einem Punkte einig seien: Die Veranlagung zur Homosexualität sei lange vor der Pubertät, womöglich sogar bereits vor der Einschulung vorhanden. Vor dem 12. Lebensjahr, so auch das Ergebnis einer umfangreichen Untersuchung des amerikanischen Kinsey-Instituts, sei die spätere sexuelle Orientierung eines Menschen bereits festgelegt.

Die bundesdeutschen Großparteien tun sich mit der Anwendung solcher Erkenntnisse schwer. Obwohl einzelne Landesverbände der SPD in den achtziger Jahren Anträge zur Streichung des Paragraphen annahmen, konnte sich die Gesamtpartei bisher zu einem solchen Beschluß nicht durchringen. Allerdings dürfte ohne Unterstützung der CDU/CSU seine Abschaffung sicher nicht zustande kommen, denn in den letzten Jahren scheuten sich Abgeordnete dieser Partei keineswegs, das gesunde Volksempfinden immer dann gegen einen politischen Gegner zu mobilisieren, wenn dieser sich für eine Entfernung des Paragraphen 175 aus dem StGB einsetzte. „Sorge für ungehinderte Entfaltung von Perversitäten" warf die CSU der FDP 1980 vor, als sie die ersatzlose Streichung in ihr Parteiprogramm aufnahm. Und die Grünen mußten sich in verschiedenen Bundesländern gerichtlich gegen die stets wiederkehrenden Unterstellungen aus CDU-Kreisen zur Wehr setzen, wonach sie mit ihrer Forderung nach Aufhebung des Paragraphen zugleich für Sex Erwachsener mit Kindern einträten. Auch während des Wahlkampfes in Schleswig-Holstein (1987) spielte der Vorwurf der Homosexualität eine besondere Rolle. Im Kampf um die Macht ließ Ministerpräsident Uwe Barschel nicht nur öffentlich verbreiten, sein Gegner, der SPD-Spitzenkandidat sei homosexuell, sondern wider besseres Wissen und entgegen einer einstweiligen gerichtlichen Verfügung wurde in einer mit 800000 Exemplaren aufgelegten CDU-Wahlkampfzeitung behauptet, die SPD trete für Sex mit Kindern ein. Anlaß dazu war ein Papier der Arbeitsgruppe sozialdemokratischer Juristen, in dem zwar eine Streichung des 175 vorgeschlagen wurde, das jedoch recht schnell wieder zurückgezogen worden war, nachdem die wahlpolitische Ausschlachtung des Vorhabens durch die CDU bekannt wurde.

Neben der FDP und den Grünen tritt seit Anfang der achtziger Jahre auch die Deutsche Kommunistische Partei (DKP) für die Aufhebung des 175 ein. Interessant ist in diesem Zusammenhang die Entwicklung der Strafgesetzgebung in der DDR. Wie der Arzt Rudolf Klimmer in einem kurzen Aufsatz über „Die Situation in der DDR" schreibt, bildeten sich gleich nach dem Zusammenbruch des Nationalsozialismus in verschiedenen Großstädten „gesellschaftliche Zusammenkünfte" von Homosexuellen. Diese Lokale wurden recht bald jedoch „ausgehoben und die Homosexuellen registriert". Im Gegensatz zur Bundesrepublik hob das Oberste Gericht der DDR die NS-Fassung des 175 jedoch bereits 1950 auf und wendete die alte, aus dem Jahre 1871 stammende an (beischlafähnliche Handlungen). Der Paragraph 175a (qualifizierte Fälle) aus der NS-Zeit blieb jedoch bestehen. Das Kammer-Gericht Berlin-Ost entschied später, „daß bei allen unter § 175 alter Fassung fallende Straftaten weitherzig von der Einstellung wegen Geringfügigkeit Gebrauch gemacht werden sollte". Dies führte dazu, daß in den sechziger Jahren homosexuelle Handlungen unter Erwachsenen nicht mehr bestraft wurden, ehe schließlich am 1. Juli 1968 die gesetzliche Legalisierung der einvernehmlichen Homosexualität unter über Achtzehnjährigen erfolgte. Homosexuelle, die während der NS-Zeit verfolgt worden waren, erhielten auch in der DDR keine Wiedergutmachung. Klimmer: „Bemühungen meinerseits, das Komitee der Antifaschistischen Widerstandskämpfer für diese Frage und die der Erfassung zu interessieren, schlugen fehl."

Trotz der Reform des Paragraphen spielte sich das homosexuelle Leben in der DDR bis weit in die siebziger Jahre hinein völlig im Privaten ab. Homosexuelle Zeitschriften existierten nicht und auch Lokale nur inoffiziell. Als Treffpunkte wurden mitunter in einigen Großstädten durch Mundpropaganda bestimmte Gaststätten ausgemacht, in denen man sich, meistens unbemerkt von dem „normalen" Publikum, für ein paar Stunden traf, um drohender Vereinsammung zu entgehen und Kontakte zu schließen. Offiziell blieb das Thema Homosexualität von Staat und Partei weitgehend tabuisiert. Ausdruck dieser Haltung war etwa die von Kurt R. Bach 1973 veröffentlichte „Geschlechtserziehung in der sozialistischen Oberstufe". Das zentrale und laut Vorwort „einem großen Kreis von Lesern" zugänglich gemachte sexualpädagogische Werk nahm sich auch „des Fragenkreises ‚Abartigkeiten, Homosexualität'" an und empfahl, daß sich „eine hochgebildete sozialistische Persönlichkeit" (Erziehungsziel Nr. 1) von Homosexuellen fernzuhalten habe: „Man soll sich nicht mit ihnen befreunden oder ihre Gesellschaft aufsuchen, aber man soll sie auch nicht verunglimpfen. Wir wollen alle menschlichen Persönlichkeiten achten und nach ihrer Leistung, nach ihrem Charakter beurteilen." Ausdrücklich wurde zugleich aber auch festgestellt: „Unter den Homosexuellen gibt es bedeutende Künstler und Wissenschaftler." Ob das allerdings für den werktätigen Schwulen an der Drehbank als ein Ansporn im sozialistischen Wettbewerb gemeint war, muß wohl dahingestellt bleiben.

Eine geradezu revolutionäre Entwicklung im Umgang mit ihren Homosexuellen setzte in der DDR parallel mit dem Auftauchen der Immunschwächekrankheit Aids ein. So erschien im Juli 1987 im VEB „Verlag Volk und Gesundheit" unter dem Titel „Homosexualtat – Herausforderung an Wissen und Toleranz" eine Veröffentlichung des Ost-Berliners Psychologie-Professors Reiner Werner, die sich deutlich von allen früheren DDR-Ausführungen zum Thema gleichgeschlechtlicher Liebe unterscheidet. Die erste Auflage des Buches, 50000 Exemplare, war bereits nach drei Wochen vergriffen. In einem Interview mit dem Zürcher „Tagesanzeiger" erklärte Werner zur Promiskuität der Homosexuellen, daß diese „als Ergebnis eines über tausendjährigen Versteckspiels" anzusehen sei und empfahl, daß „das Bild der Partnerschaft, auch das der heterosexuellen, überdacht werden muß". Er forderte „die Gleichbehandlung von homo- und heterosexuellen Paaren bei der Vergabe von Wohnraum" und „die Einrichtung von staatlichen Konsultationszentren für Homosexuelle". Bei den staatlichen Stellen, so Werner weiter, bestehe für die Probleme der Homosexuellen

„eine große Offenheit“, denn: „Wir möchten auf keinen Fall die bestehende versteckte Ghettoisierung durch eine offizielle ablösen, wie sie zuweilen in westlichen Ländern besteht und neue Formen der Ausgrenzung schafft.“ Erreicht werden soll dies durch die Integration der Homosexuellen „in die alltäglichen Lebensprozesse“. Dazu sei es nötig, „eine Vielzahl gesellschaftlicher Aktivitäten aus(zu)lösen, die den spezifischen Bedürfnissen der Homosexuellen nach Kommunikation gerecht werden“.

Erste praktische Ergebnisse dieser Wende zeigten sich bereits im DDR-Fernsehen. Im Rahmen des Gesundheitsmagazins „Visite“ wurde dort im Herbst 1987 ein Beitrag ausgestrahlt, dessen erklärtes Ziel es war, den Zuschauern „Wissen über Homosexualität zu vermitteln, Voreingenommenheiten abzubauen und die Basis zu verbreiten für ein unverkrampftes, rationales Umgehen mit unseren homosexuellen Mitmenschen“. Im Verlauf der Sendung wurde beklagt, daß „die jahrhundertelange Diffamierung von Homosexuellen dazu geführt hat, daß eine gesellschaftlich abzulehnende Haltung gegen diese Menschen zum Teil noch bis heute vorherrscht“ und „neuere Erkenntnisse über Homosexualität sich nur langsam durchsetzen gegen Voreingenommenheit und Intoleranz“. Vor allem auf die soziale Entmystifizierung der Homosexualität wurde dabei besonderer Wert gelegt. „Homosexuelle Männer und Frauen“, so der Moderator, „stammen aus allen Schichten der Bevölkerung, sie haben die gleichen Fähigkeiten und Qualifikationen wie andere auch und sind in allen Berufen tätig, teils sogar in leitenden Positionen und sie leisten wichtige Beiträge zum gesellschaftlichen Fortschritt.“ Gegenüber früheren kommuninistischen Auffassungen, nach denen Homosexualität als „unproletarische“ oder gar als „westliche Dekadenz-Erscheinung“ betrachtet wurde, stellen diese Aussagen zweifellos einen radikalen Bruch dar. „Nur in einer Hinsicht“, so „Visite“, „unterscheiden Homosexuelle sich: In der Beziehung zum anderen Geschlecht. Sie sind eben gefühlsmäßig, sinnlich und geschlechtlich einer Person des eigenen Geschlechts zugeneigt.“

Zugleich wurde die These von der Verführbarkeit Jugendlicher zur Homosexualität, auch in der DDR noch aktuelle Begründung für die Aufrechterhaltung des Rumpfparagraphen 175, mit dem Hinweis in Frage gestellt, daß sich in jüngster Zeit „die wissenschaftliche Meinung häufe“, wonach „der Grundstein für eine homoerotische Prägung bereits im Mutterleib gelegt wird.“ Wem dieses biologische Entstehungsmodell nicht behagen mochte, der erhielt zugleich auch eine soziologische Kritik an der Verführungsthese vermittelt: Wenn es denn überhaupt eine Verführung geben sollte, so der Originalton, würden „Jugendliche viel eher und viel intensiver durch Literatur, Film und Fernsehen, durch Elternhaus und die soziale Umwelt zur Liebe zum *anderen* Geschlecht verführt werden. Nach dieser Interpretation der Verführungstheorie dürfte es also überhaupt keine Homosexuellen geben.“ An die Eltern wurde appelliert, einem homosexuell empfindendem Sohn oder einer lesbischen Tochter mit Verständnis zu begegnen und ihr Kind bei der Überwindung auftretender Schwierigkeiten zu unterstützen. Zwar könnten Homosexuelle in der Sexualität die gleichen Probleme wie Heterosexuelle haben, aber dennoch rührten die meisten Konflikte gleichgeschlechtlich liebender Menschen „fast ausschließlich daher, daß es Probleme mit der Umwelt sind, weil es immer noch Menschen gibt, die Homosexuelle ablehnen und verurteilen“.

In der auf Integration der Homosexuellen abzielenden Informationssendung des DDR-Fernsehens erzählten verschiedene jüngere Homosexuelle von ihren Schwierigkeiten beim „coming out“ und von dem langen, mitunter schmerzhaften und durch Selbstmordabsichten bestimmten Prozeß der Selbstakzeptanz. Nach dieser Sequenz der Moderator: „Kirsten und Jürgen bekennen sich heute ohne Scheu in der Öffentlichkeit zu ihrer Homosexualität. Wo aber können sich diejenigen hinwenden, die noch nicht (sic!) so weit sind? Wo erhalten homosexuelle Bürger Rat und Hilfe?“ Diese Frage leitete über zu einem Interview mit der Mitarbeiterin einer „Ehe- und Sexualberatungsstelle“, wo sich Betroffene oder ihre Angehörigen und Arbeitskollegen durch ausgebildete Fachkräfte bei Problemen Hilfe holen können. Auch in diesem Interview wurde deutlich, daß in der DDR die Zeichen offenbar auf Integration der Homosexuellen stehen und Diskriminierungen abgebaut werden sollen. „Ich halte es für wichtig, noch einmal darauf hinzuweisen", erklärte jene Mitarbeiterin, „daß Homosexualität eine ganz natürliche Variante der Sexualität ist: daß man sie sich nicht aussuchen kann, daß man nicht dazu verführt werden kann, daß es nicht einfach nur eine Ersatzhandlung ist, weil irgendwie der passende Partner noch nicht aufgetaucht ist." Auch hier endete der Beitrag wiederum mit einem Toleranz-Appell an die DDR-Bürger: „Denken wir daran, daß es letztendlich von jedem Einzelnen von uns abhängt, inwieweit sich ein Homosexueller als Außenseiter führt und sich verleugnen muß oder nicht. Treten wir homosexuellen Männern und Frauen mit Verständnis gegenüber und akzeptieren wir sie als gleichberechtigte Bürger, so verhelfen wir ihnen zu einem gesunden Selbstbewußtsein. Denn die Moral einer Beziehung wird nicht durch die Art, sondern durch den Charakter der Partnerschaft bestimmt. Zuverlässigkeit, Ehrlichkeit, Integration in unsere Gesellschaft sind entscheidend."

Derartige Verlautbarungen im staatlichen Fernsehen lassen offenbar erkennen, daß die DDR-Regierung tatsächlich die Umsetzung sexual- und sozialwissenschaftlicher Erkenntnisse praktisch in Angriff nimmt. Zwar besteht der Paragraph 175 in seiner „Jugendschutz-Fassung" zur Zeit noch, doch gab der Erste Sekretär des Zentralrats der „Freien Deutschen Jugend" (FDJ) in einem Schreiben an den BRD-Sexualwissenschaftler G. Amendt 1987 bekannt, daß die Verführungstheorie „für überprüfungswürdig gehalten" werde und „in absehbarer Zeit" mit einer Streichung des Paragraphen 175 aus dem Strafgesetzbuch der DDR zu rechnen sei. „Setzt sich das alles durch", so kommentierte das bundesdeutsche Magazin „Du & Ich" die Entwicklung, „dann haben Schwule und Lesben in der DDR die reale Chance, am Ende des Tunnels angekommen zu sein."

Der Integration drüben steht eine zunehmende Desintegration der Homosexuellen hüben gegenüber. „Wir sind im Krieg!" überschrieb in der „Siegessäule" (Nr. 1/88), Berlins Monatsblatt für Schwule, ein Autor seinen Artikel zu den politischen Auswirkungen der Krankheit Aids auf die gesellschaftliche Lage der Homosexuellen in der Bundesrepublik. „Der Homosexuellen-Haß ist endgültig mobilisiert, der Unterschied zur ‚jüdischbolschewistischen Weltverschwörung' des Stürmers nur noch schwer auszumachen. Wir befinden uns im Krieg, im Krieg um unsere Menschenwürde, ja um unser einfaches Recht zu leben." Hinter diesen dramatischen Formulierungen verbirgt sich die tiefsitzende Furcht einer Minderheit, nach den Erfahrungen der NS-Zeit wiederum Opfer eines gegen sie gewendeten „gesunden Volksempfindens" zu werden.

Die Krankheit Aids, von der in den Industrie-Ländern (noch) hauptsächlich Homosexuelle betroffen sind, hat die Diskussion über (Homo-)Sexualität zweifellos nachhaltig beeinflußt. Als „Sehnsucht nach Knechtschaft" interpretierte denn auch die Zeitung „Gay Express" (3/88) das Ergebnis einer im Auftrag der „Bundeszentrale für gesundheitliche Aufklärung" durchgeführten Meinungsumfrage, wonach für 43 Prozent der Bundesbürger Aids „sein Gutes" hat, „weil es der sexuellen Freiheit ein Ende macht." Grundstimmungen dieser Art lassen durchaus befürchten, daß Kampagnen um Wähler und Prozentpunkte das traditionelle Sittengesetz wieder stärker in die politische Auseinandersetzung einbeziehen und damit auch dier begonnene gesellschaftlichen Emanzipation der Homosexuellen beenden konnten. Die häufig zitierte Einsicht, wonach eine demokratische Gesellschaft nur so demokratisch ist, wie sie mit ihren Minderheiten umgeht, wird daher auch weiterhin aktuell bleiben.

Literaturverzeichnis

Bibliographien

Herzer, M., Bibliographie zur Homosexualität. Verzeichnis des deutschsprachigen nichtbelletristischen Schrifttums zur weiblichen und männlichen Homosexualität aus den Jahren 1446 bis 1975 in chronologischer Reihenfolge, Berlin 1982

Zeitlich übergreifende Literatur

Baumann, J., Paragraph 175, Berlin, Neuwied 1968

Bernal, J. D., Sozialgeschichte der Wissenschaften, 4 Bde., Reinbek 1978

Bleibtreu-Ehrenberg, G., Tabu Homosexualität. Geschichte eines Vorurteils, Frankfurt 1978

Bornemann, E., Lexikon der Liebe. Materialien zur Sexualwissenschaft, 4 Bde., Frankfurt, Berlin, Wien 1978

Eldorado. Homosexuelle Frauen und Männer in Berlin 1850–1950. Geschichte, Alltag und Kultur, Berlin 1984 (Katalog der gleichnamigen Ausstellung, hrsgg. vom Berlin Museum)

Gay, P., Die zarte Leidenschaft. Liebe im bürgerlichen Zeitalter, München 1987

Gay, P., Erziehung der Sinne. Sexualität im bürgerlichen Zeitalter, München 1986

Gollner, G., Homosexualität. Ideologiekritik und Entmystifizierung einer Gesetzgebung, Berlin 1974

Heinsohn, G., Knieper, R., Theorie des Familienrechts. Geschlechtsrollenaufhebung, Kindesvernachlässigung, Geburtenrückgang, Frankfurt 1976

Heinsohn, G., Knieper, R., Steiger, O., Menschenproduktion. Allgemeine Bevölkerungslehre der Neuzeit, Frankfurt 1979

Hiller, K., Leben gegen die Zeit. Erinnerungen, 2 Bde. Reinbek 1969 und 1973

Hirschfeld, M., Die Homosexualität des Mannes und des Weibes, Berlin 1914

Hirschfeld, M., Von einst bis jetzt. Geschichte einer homosexuellen Bewegung 1897–1922, Berlin 1986

Hohmann, J. (Hrsg.), Der unterdrückte Sexus. Historische Texte und Kommentare zur Homosexualität, Lollar 1977

Katz, J. (Hrsg.) Documents of the Homosexual Rights Movement in Germany 1836–1937, New York 1975 (Arno Press)

Koch, F., Sexuelle Denunziation. Die Sexualität in der politischen Auseinandersetzung, Frankfurt 1986

Kühnl, R., Formen bürgerlicher Herrschaft. Liberalismus – Faschismus, Reinbek 1971

Lauritsen, J., Thorstad, D., The Early Homosexual Rights Movement (1864 bis 1935), New York 1974
Parcharzina, K., Albrecht-Desirat, K., Die Last der Ärzte. Homosexualität als klinisches Bild von den Anfängen bis heute, in: Hohmann, J. (Hrsg.), Der unterdrückte Sexus, Lollar 1977, S. 97–112
Riess, C., Auch du, Cäsar ... Homosexualität als Schicksal, München 1981
Schmidt, G., Helfer und Verfolger. Die Rolle von Wissenschaft und Medizin in der Homosexuellenfrage, in: Mitteilungen der Magnus-Hirschfeld-Gesellschaft Nr. 3, Berlin 1984, S. 21–31
Steakley, J. D., The Homosexual Emancipation Movement in Germany, New York 1975
Stümke, H. G., Finkler, R., Rosa Winkel, Rosa Listen. Homosexuelle und ‚Gesundes Volksempfinden' von Auschwitz bis heute, Reinbek 1981
Ussel v., J., Sexualunterdrückung, Reinbek 1970

Erstes Kapitel: Vom Scheiterhaufen in die Irrenanstalt

Boswell, J., Christianity, Social Tolerance and Homosexuality. Gay People in Western Europe from the Beginning of the Christian Era to the Forteenth Century, Chicago, London 1980
Dörner, K., Bürger und Irre. Zur Sozialgeschichte und Wissenschaftssoziologie der Psychiatrie, Frankfurt 1975
Engels, F., Der Ursprung der Familie, des Privateigentums und des Staates, in: M(arx)E(ngels)W(erke), Bd. 21, Berlin (Ost), 1973
Goodich, M., Sodomy in Medieval Secular Law, in: Journal of Homosexuality 1, No. 3, San Francisco 1976, S. 295–302
Honegger, C. (Hrsg.), Die Hexen der Neuzeit. Studien zur Sozialgeschichte eines kulturellen Deutungsmusters, Frankfurt 1978
Krafft-Ebing, R. v., Psychopathia sexualis, mit besonderer Berücksichtigung der konträren Sexualempfindung, Stuttgart 1889 (4. Aufl.)
Liman, C., Johann Ludwig Caspers Handbuch der Gerichtlichen Medicin, Berlin 1881 (7. Auflage)
Moll, A., Die conträre Sexualempfindung. Mit Benutzung amtlichen Materials, Berlin 1899 (3. Auflage)
Müller, J. V., Entwurf der gerichtlichen Arzneywissenschaft, Frankfurt 1796, Kapitel 7: „Von der Unkeuschheit wider die Natur, oder die Sodomie", in: Hohmann, J., a. a. O., S. 211–224
Soldan, W. G., Heppe, H., Geschichte der Hexenprozesse (1843/1880). Neu bearbeitet und herausgegeben von Max Bauer, München 1912, Nachdruck Hanau o. J.
Sprenger, J., Institutoris, H., Der Hexenhammer, Berlin 1906 (Nachdruck München 1982)
Ulrichs, K. H. (Pseudonym: Numa Numantius), Vindicta. Kampf für Freiheit von Verfolgung. Criminalistische Ausführungen und legislatorische

Vorschläge. Forderung einer Revision der bestehenden Criminalgesetze. Urnische Tageschronik, Leipzig 1865, in: Hohmann, J., a.a.O., S. 309 bis 360
Ulrichs, K.H., Gladius furens. Das Naturräthsel der Urningsliebe und der Irrtum des Gesetzgebers. Eine Provokation an den deutschen Juristentag, Kassel 1868, in: Hohmann, J., a.a.O., S. 361–405
Wagner, T., Mißverständnis und Vorurteil. Homosexualität in theologischen Werken des 19. Jahrhunderts, in: Hohmann, J., a.a.O., S. 73–95

Zweites Kapitel: Kaiserreich (1871–1918)

Bebel, A., Reichstagsreden vom 13. und 19. Januar 1898 zur Begründung seiner Unterschrift unter die Petition gegen § 175 StGB, in: Verhandlungen des Reichstags., Bd. 159, Berlin 1899, S. 410 und 523
Ebermayer, E., Glanz und Gloria verblaßt. Der Fall Fürst Philipp zu Eulenburg-Hertefeld, in: Der neue Pitaval Bd. 14: Skandale, München 1967, S. 115–164
Engelmann, B., Krupp, Legenden und Wirklichkeit, Frankfurt 1970
Hiller, K., Das Recht über sich selbst. Eine strafphilosophische Studie, Heidelberg 1908, auszugsweiser Nachdruck in: Hohmann, J., a.a.O.
Hiller, K., § 175. Die Schmach des Jahrhunderts, Hannover 1922
Hirschfeld, M., Sappho und Sokrates. Wie erklärt sich die Liebe der Männer und Frauen zum eigenen Geschlecht? Berlin 1896, Nachdruck in: Katz, J., a.a.O.
Hirschfeld, M., Berlins Drittes Geschlecht, Berlin 1905, Nachdruck in: Katz, J., a.a.O.
Hirschfeld, M., Das Ergebnis der statistischen Untersuchungen über den Prozentsatz der Homosexuellen, in: Jahrbuch für sexuelle Zwischenstufen, Bd. 6, Berlin 1904, S. 647–728
Karsch-Haack, F., Das gleichgeschlechtliche Leben der Naturvölker, München 1911
Röhl, J. C. G., Kaiser, Hof und Staat. Wilhelm II. und die deutsche Politik, München 1987
Stöcker, H., Die beabsichtigte Ausdehnung des § 175 auf die Frau, in: Die neue Generation, (7. Jg. Nr. 3), Berlin 1911, S. 110–122
Tresckow, H., Von Fürsten und anderen Sterblichen. Erinnerungen eines Kriminalkommissars, Berlin 1922

Drittes Kapitel: Weimar 1918–1933

Eissler, W. U., Arbeiterparteien und Homosexualität. Zur Sexualpolitik von SPD und KPD in der Weimarer Republik, Berlin 1980
Gay, P., Die Republik der Außenseiter. Geist und Kultur in der Weimarer Zeit 1918–1933, Frankfurt 1987

Grossmann, A., The New Woman, the New Familiy and the Rationalization of Sexuality: the Sex Reform Movement in Germany 1928 to 1933. Ph. D. Diss, Rutgers University, 1984
Haeberle, E., Anfänge der Sexualwissenschaft, Berlin, New York 1983 (Katalog zur gleichnamigen Ausstellung)
Heiber, H., Die Republik von Weimar, München 1966
Heinersdorf, H., Akten zum Fall Röhm, in: Mitteilungen des Wissenschaftlich-humanitären Komitees, Nr. 32, 33, 34 (1932/3)
Mitteilungen des Wissenschaftlich-Humanitären Komitees 1926–1933. Faksimile-Nachdruck. Mit einer Einleitung herausgegeben von Friedemann Pfäfflin, Hamburg 1985 (= Arcana Bibliographica. Bibliographien zu Erotik und Sexualwissenschaft, hrsgg. von Walter v. Murat, Band 4)
Sievert, H., Das Anomale bestrafen. Homosexualität, Strafrecht und Schwulenbewegung im Kaiserreich und in der Weimarer Republik, Hamburg 1984 (= Ergebnisse, Zeitschrift für demokratische Geschichtswissenschaft, Nr. 24)
Soden v., K., Die Sexualberatungsstellen der Weimarer Republik, Berlin 1988 (= Stätten der Geschichte Berlins Bd. 18)
Winkler, H. A., Mittelstand, Demokratie und Nationalsozialismus. Die politische Entwicklung von Handwerk und Kleinhandel in der Weimarer Republik, Köln 1972

Viertes Kapitel: Nationalsozialismus (1933–1945)

Akten zur Verfolgung der Homosexuellen im Nationalsozialismus in der „Hamburger Stiftung für Sozialgeschichte des 20. Jahrhunderts“ (2 Hamburg 13, Mittelweg 36), unveröffentlicht
Bleuel, H. P., Das saubere Reich, Bern, München 1979
Bloch, C., Die SA und die Krise des NS-Regimes, Frankfurt 1970
Braunbuch über Reichstagsbrand und Hitlerterror, Basel 1933 (Faksimile-Nachdruck der Originalausgabe von 1933, Frankfrut 1978)
Bullock, A., Hitler, 2 Bde., Frankfurt 1964
Classen v. Neudegg, L. D., Berichte aus dem KZ Sachsenhausen-Oranienburg, in: Humanitas, Monatszeitschrift für Menschlichkeit und Kultur, Hamburg 1954
Deutschlandberichte der Sozialdemokratischen Partei (Sopode) 1934–1940, Frankfurt 1980
Diehls, R., Lucifer ante Portas, Stuttgart 1950
Domarus, M., Hitler-Reden und Proklamationen 1932–1945, 4 Bde., München 1965
Fest, J., Hitler. Eine Biografie, Frankfurt, Berlin, Wien 1973
Fieberg, G., Justiz im nationalsozialistischen Deutschland, in: Beilage zum Bundesanzeiger Nr. 134 v. 20. 7. 1984 hrsgg. vom Bundesministerium der Justiz

Für Zucht und Sitte. Die Verfolgung der Homosexuellen im Dritten Reich, Broschüre hrsgg. von der Aktionsgruppe Homosexualität Osnabrück, (1983)

Geissler, B., Die Homosexuellen-Gesetzgebung als Instrument zur Ausübung politischer Macht mit besonderer Berücksichtigung des NS-Regimes, Hausarbeit zur Erlangung des Magistergrades (M. A.) an der Philosophischen Fakultät der Universität Göttingen, verf. Manuskript, 1968

Harthauser, W., Der Massenmord an Homosexuellen im Dritten Reich, in: Schlegel, W. S. (Hrsg.), Das große Tabu. Zeugnisse und Dokumente zum Problem der Homosexualität, München 1967

Heger, H., Die Männer mit dem rosa Winkel. Der Bericht eines Homosexuellen über seine KZ-Haft von 1939–1945, Hamburg 1972

Hockerts, H. G., Die Sittlichkeitsprozesse gegen katholische Ordensangehörige und Priester 1936–1937, Mainz 1971

Höss, R., Kommandant in Auschwitz. Autobiographische Aufzeichnungen, hrsgg. von M. Broszat, München 1963

Jäckel, E., Hitlers Weltanschauung, Entwurf einer Herrschaft, Tübingen 1969

Karasek, H. Der Brandstifter, Lehr- und Wanderjahre des Mauergesellen Marinus van der Lubbe, der 1933 auszog, den Reichstag anzuzünden, Berlin 1980

Klare, R., Homosexualität und Strafrecht, Hamburg 1935

Kuckuc, I., Der Kampf gegen Unterdrückung, München 1979

Lautmann, R., Grischkat, W., Schmidt, E., Der rosa Winkel in den nationalsozialistischen Konzentrationslagern, in: Lautmann, R. (Hrsg.), Seminar: Gesellschaft und Homosexualität, Frankfurt 1977, S. 308–325

Lautmann, R., „Hauptdevise: bloß nicht anecken". Das Leben homosexueller Männer unter dem Nationalsozialismus, in: Beck, J. u. a. (Hrsg.), Terror und Hoffnung in Deutschland 1933–1945, Leben im Faschismus, Reinbek 1980

Linau, H., Zwölf Jahre Nacht, Flensburg 1949

Meier, H. C., Im Frühwind der Freiheit, Hamburg 1948

Neuhäusler, J., Kreuz und Hakenkreuz. Der Kampf des Nationalsozialismus gegen die katholische Kirche und der kirchliche Widerstand, München 1946

Picker, H., Hitlers Tischgespräche im Führerhauptquartier, Wiesbaden 1983

Roth, K.-H., Neue deutsche Seelenheilkunde – Aufstieg im Schatten der Vernichtung (unveröffentlichtes Manuskript), 1984

Schäfer, L., Lehmann, R., Dörffler, F., Die Novellen zum Strafrecht und Strafverfahren von 1935, Berlin 1935

Schönke, A., Strafgesetzbuch für das Deutsche Reich, Berlin 1944

Smith, B. F., Petersen, A. (Hrsg.), Heinrich Himmler, Geheimreden 1933 bis 1945 und andere Ansprachen, Frankfurt 1974

Statistisches Reichsamt, Die Entwicklung der Kriminalität im Deutschen

Reich vom Kriegsbeginn bis Mitte 1943 (maschinenschriftliches Manuskript im Juristischen Seminar der Universität Hamburg), o.O. 1944
Stümke, H. G., Die Verfolgung der Homosexuellen in Hamburg, in: Ebbinghaus u. a. (Hrsg.), Heilen und Vernichten im Mustergau Hamburg. Bevölkerungs- und Gesundheitspolitik im Dritten Reich, Hamburg 1984, S. 80ff.
Stümke, H. G., Vom ‚unausgeglichenen Geschlechtshaushalt'. Zur Verfolgung Homosexueller, in: Projektgruppe für die vergessenen Opfer des NS-Regimes in Hamburg e. V. (Hrsg.), Verachtet – Verfolgt – Vernichtet – zu den ‚vergessenen' Opfern des NS-Regimes, Hamburg 1986, S. 46–63
Vermehren, I., Reise durch den letzten Akt. Ravensbrück, Buchenwald, Dachau: Eine Frau berichtet, Reinbek 1979
Wilde, H., Das Schicksal der Verfemten. Die Verfolgung der Homosexuellen im Dritten Reich und ihre Stellung in der heutigen Gesellschaft, Tübingen 1969
Wismar, E., Perversion und Verfolgung unter dem deutschen Faschismus, in: Lautmann, R. (Hrsg.), Seminar: Homosexualität und Gesellschaft, Frankfurt 1977, S. 308–325
Wuttke, W., Homosexuelle im Nationalsozialismus, Ausstellungskatalog, Ulm 1987

Fünftes Kapitel: Bundesrepublik und DDR

Brocher, T. u. a., Plädoyer für die Abschaffung des § 175, Frankfurt 1966
Dannecker, M., Reiche, R., Der gewöhnliche Homosexuelle, Frankfurt 1974
Dannecker, M., Der Homosexuelle und die Homosexualität, Frankfurt 1978
Dannecker, M., Das Drama der Sexualität, Frankfurt 1987
Diskussionen und Feststellungen des Deutschen Bundestages in Sachen Kießling. Zur Sache 2, 1984, hrsgg. vom Deutschen Bundestag, Presse- und Informationszentrum, Bonn 1984
Friedrich-Naumann-Stiftung (Hrsg.), Dokumentation § 175, Bonn 1981
Grossmann, T., Schwul – na und?, Reinbek 1981
Haensch, D., Repressive Familienpolitik, Sexualunterdrückung als Mittel der Politik, Reinbek 1969
Hoffmüller, U., Neuer, S., Unfähig zur Emanzipation? Homosexuelle zwischen Getto und Befreiung, Gießen 1977
Italiaander, R. (Hrsg.), Weder Krankheit noch Verbrechen. Plädoyer für eine Minderheit, Hamburg 1969
Jaekel, H. G. (Hrsg.), Ins Ghetto gedrängt – Homosexuelle berichten, Hamburg 1978
Klimmer, R., Die Homosexualität als biologisch-soziologische Zeitfrage, Hamburg 1958

Kuckuk, I., Der Kampf gegen Unterdrückung, Materialien aus der deutschen Lesbierinnenbewegung, München 1979
Parcharzina, K. (Hrsg.), Aids und unsere Angst, Reinbek 1986
Pomorin, J., Junge, R., Die Neonazis, Dortmund 1978
Romey, S., Zu Recht verfolgt? Zur Geschichte der ausgebliebenen Entschädigung, in: Projektgruppe für die vergessenen Opfer des NS-Regimes in Hamburg e. V. (Hrsg.), Verachtet – Verfolgt – Vernichtet – zu den ‚vergessenen' Opfern des NS-Regimes, Hamburg 1986, S. 220–245
Tuntenstreit. Theoriediskussion der Homosexuellen Aktion Westberlin, Berlin 1975 (Verlag rosa Winkel)
Werner, Reiner, Homosexualität – Herausforderung an Wissen und Toleranz, Berlin 1987
Wiedemann, H. G., Homosexuelle Liebe. Für eine Neuorientierung in der christlichen Ethik, Stuttgart, Berlin 1982
Wieland, H. W., Avanti Dilettanti. Ist der bundesdeutschen Schwulenbewegung noch zu helfen? in: Du & Ich, 20. Jg., Nr. 1/1988 S. 6–9
Wieland, H. W., Realer Sozialismus: DDR integriert Homosexuelle, in: Du & Ich, 19. Jg., Nr. 11/1987 S. 71–73

Zeittafel

1794 Preußen hebt Sodomie-Gesetz (Todesstrafe für Homosexualität) auf und führt Zuchthausstrafe ein

1813 Bayern hebt Sodomie-Gesetz auf. Homosexualität ohne Sondergesetzgebung

1827 Entwurf für preußisches „Criminalgesetzbuch" enthält Straflosigkeit der einfachen Homosexualität

1839 Königreich Württemberg: Homosexualität kein Offizialdelikt

1840 Königreich Hannover: Bestrafung nur in „qualifizierten Fällen"; Herzogtum Braunschweig: Homosexualität kein Offizialdelikt

1849 Scheitern der Deutschen Revolution

1851 Neues Preußisches Strafgesetzbuch enthält in § 143 Wortlaut des späteren § 175

1855 Bayerns Parlament lehnt Antrag auf Kriminalisierung der Homosexualität ab

1864 Karl Heinrich Ulrichs verfaßt „Vindex. Social-juristische Studien über mannmännliche Geschlechtsliebe", fordert Straflosigkeit homosexueller Liebe und die Organisierung einer homosexuellen Bürgerrechtsbewegung

1867 Deutscher Juristentag weigert sich, über Antrag zur Entkriminalisierung der Homosexualität abzustimmen

1868 Magnus Hirschfeld geboren

1869 Gutachten der preußischen „Deputation für das Medizinalwesen" (Virchow u. a.) fordert Straflosigkeit homosexuellen Verkehrs unter Erwachsenen

1871 Reichseinigung. Preußische Regelung wird als § 175 Reichsgesetz. Begründung: „Rechtsbewußtsein im Volk" verlangt Bestrafung

1885 Kurt Hiller geboren

1897 (15. 5.) Gründung des „Wissenschaftlich-humanitären Komitees" (WhK) in Berlin und Organisierung einer Unterschriftenkampagne zur Abschaffung des § 175

1898 August Bebel begründet die Petition des WhK im Reichstag

1899 Richard Linsert geboren

1899 1. Jahrgang „Jahrbuch für sexuelle Zwischenstufen" (Herausgeber: WhK) erschienen

1902 Krupp-Skandal

1903 WhK organisiert erste statistische Untersuchung über Verbreitung von Homosexualität unter Männern (2,2 Prozent homosexuell, 3,2

	Prozent bisexuell). Hirschfeld wird deshalb „wegen Verbreitung unzüchtiger Schriften“ zu Geldstrafe verurteilt
1903	„Gemeinschaft der Eigenen“ spaltet sich von WhK ab
1908	Skandal um Homosexualität des Fürsten Eulenburg
1909	Entwurf für ein neues Strafrecht (E 1909) enthält Verschärfung des 175 und Ausweitung auf lesbische Frauen
1914	Hirschfelds enzyklopädisches Werk „Die Homosexualität des Mannes und des Weibes“ erschienen
1918	Erste deutsche Republik ausgerufen. Aufhebung der Pressezensur, demokratische Rechte für homosexuelle Organisationen
1919	Institut für Sexualwissenschaft („Hirschfeld-Institut“) in Berlin gegründet; „Anders als die anderen“ – erster Film mit homosexueller Thematik – aufgeführt
1920	Einführung der Filmzensur; Hirschfeld nach Attentat durch völkische Studenten schwer verletzt
1921	Institut für Sexualwissenschaft veranstaltet „1. Internationale Tagung für Sexualreform auf wissenschaftlicher Grundlage“
1922	Gründung „Bund für Menschenrecht“ (= homosexuelle Bürgerrechtsorganisation)
1923	Putschversuch der NSDAP gescheitert
1925	Strafrechtsentwurf (E 1925) sieht Verschärfung § 175 vor; „Kartell zur Reform des Sexualstrafrechts“ formiert sich gegen E 1925 und erarbeitet Gegenentwurf
1927	30 Jahre WhK: Großveranstaltung gegen den E 1925 in Berliner Stadthalle; 1. Lesung des E 1925 im Reichstag: NSDAP verlangt „schärfste Bestrafung“ der Homosexualität, KPD für Streichung; Polizeiverordnung in Chemnitz verbietet Zusammenleben zweier Männer in einer Wohnung wegen Verdachts von Homosexualität
1928	„Weltliga für Sexualreform“ gegründet. Präsidenten: A. Forel (Schweiz), H. Ellis (England), M. Hirschfeld; WhK und „Gemeinschaft der Eigenen“ gehen Bündnis ein
1929	Rechtsausschuß des Reichstags beschließt Reform des § 175; Hirschfeld legt Vorsitz im WhK nieder
1930	„Völkischer Beobachter“ (NSDAP): Kündigt Verschärfung des § 175 nach Machtergreifung an
1931	1. Röhm-Affäre: SPD enthüllt Homosexualität des SA-Chefs
1933	Hitler Reichskanzler; Reichstagsbrand; „Ermächtigungsgesetz“ mit überwältigender Mehrheit angenommen; Plünderung des Instituts für Sexualwissenschaft durch NS-Studenten; Verbrennung von Büchern „undeutschen Geistes“; Selbstauflösung des WhK; NS-Regierung beginnt bevölkerungs- und familienpolitische Gesetze zu erlassen; Kategorie „homosexuell“ im KZ Hamburg-Fuhlsbüttel; Richard Linsert gestorben
1934	2. Röhm-Affäre; Vorbereitung zur Verschärfung § 175 beginnen/

	Geheim-Telegramm der Gestapo ordnet Zusammenfassung von „Rosa Listen“ im „Sonderdezernat“ Homosexualität an
1935	SS-Zeitung „Schwarzes Korps“ fordert Todesstrafe für Homosexuelle; Verschärfung des § 175; Hirschfeld im Exil gestorben
1936	Geheime „Reichszentrale zur Bekämpfung der Homosexualität und der Abtreibung“ gegründet; Razzien und Massenverhaftung Homosexueller
1937	Prozesse gegen katholische Geistliche wegen Homosexualität
1938	Fritsch, Oberbefehlshaber des Heeres, nach Vorwurf der Homosexualität entlassen
1940	Himmler-Erlaß: Homosexuelle nach Verbüßung der Gefängnisstrafe ins KZ; Reichssicherheitshauptamt fordert, „wissenschaftliche Erkenntnisse“ über Homosexualität „zu vertiefen“
1941	Hitler ordnet Todesstrafe für Homosexuelle in SS und Polizei an
1943	„Richtlinien zur Behandlung Homosexueller in der Wehrmacht“ erlassen; Geheimbefehl Himmlers zur Durchführung medizinischer Experimente an Homosexuellen
1944	Menschenversuche an Homosexuellen im KZ Buchenwald
1949	Bundesrepublik Deutschland läßt § 175 in NS-Fassung fortbestehen; Wiedergründung des WhK durch Behörden verboten
1950	Deutsche Gesellschaft für Sexualforschung gegründet; DDR hebt NS-Fassung des § 175 auf
1957	Bundesverfassungsgericht: NS-Fassung § 175 kein typisches NS-Recht; Bundesentschädigungsgesetz schließt Homosexuelle von Wiedergutmachungsansprüchen aus
1959	Homosexuellen-Verfolgung in der BRD erreicht Höhepunkt
1962	Strafrechtsentwurf (E 1962) behält NS-Fassung § 175 bei
1968	DDR reformiert § 175
1969	BRD reformiert § 175
1971	Die Aufführung des Films „Nicht der Homosexuelle ...“ löst schwule Emanzipationsbewegung in der BRD aus
1972	Kurt Hiller in Hamburg gestorben
1973	BRD reformiert § 175
1980	F.D.P., Die Grünen, DKP fordern Aufhebung § 175
1985	Gedenksteinsetzung für homosexuelle NS-Opfer im ehemaligen KZ Neuengamme
1987	DDR leitet Maßnahmen zur gesellschaftlichen Integration Homosexueller ein
1988	Bundesregierung plant „endgültige“ Wiedergutmachungsregelung an „vergessenen Opfern“

Stichwortverzeichnis